有我無毒

許自己一條人生坦途

經典

目次

推薦序

解開毒品真相

拒絕毒害迎新生

推薦序

有我無毒的時代使命

慈濟大學校長、小兒科教授　**王本榮**

九十八年五月十五日，林仁混院士與蕭水銀教授這對醫學科學界人人稱羨的「神雕俠侶」，夫唱婦隨地蒞臨慈濟大學演講，會中林院士神采飛揚，高論著「茶」的科學研析及對人體的俾益，會後蕭教授神情肅穆，低嘆著「毒」對身心與社會的戕害，這樣一個「茶」與「毒」的因緣，頓時使我陷入歷史的沉思。

英國在工業革命後，經濟如日中天，喝茶蔚成文化，向中國進口紅茶花費了太多白銀，為了彌補國庫的缺口，先從印度進口棉花製成棉布回銷印度，再從印度製造毒品運銷中國，導致了西元一八四〇年的鴉片戰爭。

而讓我無比驚駭的是一個難以想像的數字，臺灣現在近六萬受刑人之中，竟有接近一半是煙毒直接或相關個案，相應著接踵而來的社會事件，演藝界的「大伽」與企業界的「小開」都相繼因為涉毒而被捕，日本玉女紅星酒井法子與其丈夫也在毒海滅頂。光鮮亮麗的舞臺，競逐激烈的職場，酒醉金迷的上流社會尚且如此，更不知在社會的底層，年少輕狂的青少年，有多少因毒而沉淪的靈魂？有多少因毒而破碎的天倫？有多少因毒而衍生的犯罪？

蕭教授期待聞聲救苦，利濟眾生的慈濟廣大志工網路，在這個攸關國家、社會、家庭以及個人的重大命題上貢獻心力。我在震動與感動之餘，迅速與慈濟教育志業發展處的陳乃裕師兄討論，如何有效動員及培訓慈濟教聯會的志工老師與大愛媽媽們成為反毒的種子老師，深入校園及社區，宣導毒害的可怕及從生活教育中防治青少年吸毒。教育演講及因應不同年齡層防毒教材的編纂無疑是首要工作，這是「無毒有我」活動的緣起。毒既然是一種致命的吸引力，我們要大力宣導只有「無毒」才會「有我」，也期許每一個人「有我」的承擔與努力，創下「無毒」的天地，「無毒有我」是捨我其誰的使命。

今日的臺灣，已邁入高齡化、少子化的「不生不滅」時代，年輕人的壓力與責任將日益沉重。若我們的下一代不能成為「勇於承擔」的時代青年，而是「成為負擔」的毒蟲敗類，來迎接二十一世紀的嚴苛衝擊與挑戰，伊於胡底的結局將不問可知，也不由得我們會不寒而慄。上醫醫未病，善戰者無赫赫之功，如果說鴉片戰爭是一場烽火瀰漫的銷煙戰爭，「無毒有我」則是一場沒有硝煙的消煙運動，也是一場沒有光環的教育宣導。本書如實地記錄這場殊勝因緣背後所滙集的無量行願，大家共同的心念是祈願臺灣是一個清淨無毒的祥和社會。感恩證嚴上人及慈濟基金會的大力護持；慈濟教聯會老師及大愛媽媽出錢出力，無怨無悔投入付出；大愛臺兩部真人真事、感人肺腑的戒毒成功影片，加上本尊的現身說法，發揮深入人心、無遠弗屆的效果。也要感謝蕭水銀教授及所有學者專家的指導與參與，企業界（昇恒昌、柏泰園、燦坤、華中、林仲鋆文教基金會）的贊助，公部門包括法務部、教育部、內政部、國防部、衛生署及各級縣、市政府長官及同仁們的全力支持。「無毒有我」活動自九十八年十一月開始啟動，由於各界的全力護持及合作，從種子老師培訓、教材研習、學校及社區教育宣導，以至二部影片《逆子》及《破浪而出》特映會及影後與談，十六個月以來，已超過二千場活動，直接參與活動人數超過三十二萬人，而這樣的數字還在日日更新之中。本書的出版不是「無毒有我」活動的結案，而是「有我無毒」活動另一階段的開始，在這場永無休止的反毒戰爭中，我們沒有悲觀的權利，也沒有放棄的本錢，只有持續善的共振，加速愛的循環，我們才會有美好的明天。

推薦序

重建「無毒、健康、安全」的優質學習環境與家園

教育部部長　吳清基

近年新興毒品層出不窮，施用毒品之年齡層有呈現向下蔓延之趨勢，加上演藝人員等知名公眾人物屢屢因吸毒登上新聞版面，使防制毒品議題成為社會各界共同關注的課題。為期青年學子能健康成長，避免毒品的危害，教育部近年來積極推動防制學生藥物濫用工作，並建立三級預防機制，透過教育宣導、清查輔導、矯正戒治等三階段作為，及早發現藥物濫用的青年學子，給予積極輔導與協助，防制毒品的危害。

鑒於政府資源有限，各地宗教團體主動積極參與藥物濫用戒除的工作，可敬可佩，如佛教的「淨化基金會」、基督教的「晨曦會」及「主愛

之家」等，均長期投入毒癮戒除服務，辦理多元的社區反毒教育宣導及教材製作等工作，並邀請戒毒成功人士現身說法，提供成癮者戒癮諮詢服務，對強化家庭、社區拒毒觀念及戒毒服務工作著實貢獻良多。此次佛教慈濟慈善基金會秉持著證嚴上人廣度眾生的願力，為提升反毒教育宣導成效，特地尋覓更生人戒毒成功的真實故事，與法務部合作攝製《逆子》、《破浪而出》等二部反毒宣導影片，其內容深具反毒教化人心的意義，我本人在觀看之餘，也不禁為這樣坎坷的毒海沉浮而感傷到淚流不止。

《破浪而出》一片將蔡天勝先生真實人生中沉淪毒海、反覆入監的生涯，透過戲劇方式一一呈現，其中煙毒犯內心煎熬、深陷無間地獄無法自拔的痛苦，摧毀人生美好的年代，再再顯示出毒害的高昂代價。但蔡先生透過閱讀慈濟刊物與自我反省的力量，終於找回了自我，更拉著其他兄弟們一起衝出毒海「破浪而出」，發人深省。

而《逆子》則是黃瑞芳先生真人真事改編而成，劇中告白「一個吸毒的人，如果沒有決心把毒戒掉，想要重新做人也只是說說而已……」，這種深受毒害之苦，歷經與家人的生離死別後，因緣際會得到社會的幫助與寬恕，展開了新生，也讓自始至終關愛疼惜他的母親，能得到一個歷劫歸來，重生的兒子。母愛的偉大，與社會的寬恕，讓他從沉淪毒海的人生中走出來，透過戲劇的方式呈現，除勉勵戒毒者外，也懇求社會大眾能夠伸出援手，幫助他們戒除藥癮。

慈濟大學自九十九年六月起與教育部、法務部等機關單位，合作於全國各地辦理「無毒有我」種子師資培訓研習活動、教材研習活動、「無毒有我」特映會與影後與談，深入社區、學校推廣，總計辦理二千餘場次活動、互動人數三十二萬餘人，成效非常卓著，更帶動校園加強重視反毒教育的風氣。

影片播放結束後，戲中的主角蔡天勝及林朝清也多次到場參與座談，並以自身經驗現身說法。蔡天勝強調，過去的他，雖然聰明但是不切實際，一心想要一飛衝天，因此先是賭博，而後又受誘惑接觸毒品，甚至販毒被判無期徒刑。後來在獄中懺悔學佛，並與慈濟聯繫，出獄後即加入慈濟志工從事資源回收等工作，現在不僅開起素食店自立更生，也加入慈濟輔導更生人的行列，以自身經驗不斷給更生人協助。

本次反毒宣導影片教育部共獲贈四千兩百六十六片，分發至各級學校推廣運用，學校教師可參考隨附之導讀說明進行教學運用，使青年學子能深刻體認藥物濫用對於身心的威脅，進而以積極樂觀的態度拒絕毒品、遠離危害。教育部也期望在社區、家長、檢警、專業輔導及醫療機構的積極合作下，持續落實防制學生藥物濫用工作，防止毒品戕害校園學子，建構健康無毒的清新校園。

也期盼學校能充分推廣運用《破浪而出》及《逆子》兩部反毒影片，讓學生瞭解毒品是百害無一利的東西，更要將毒害一生的信念深植校園各角落。教育應從生命教育、全民教育、法治教育引導深入，讓學生知道施用毒品是違法的行為，同時讓學生知道生命教育，珍惜自己的生命，不能自毀前程，並要善用自己的性向、興趣及能力去做璀璨人生的規畫，而對於那些迷失在毒品的學生，要相信他們有再生的能力，不要孤立放棄他們，更給他們愛與關懷，適時適切給予正確的管道，讓他們不放棄正面向上提升的力量，協助他們走出陰霾，重建「無毒、健康、安全」的優質學習環境與家園。

推薦序

慈濟反毒實錄

法務部部長　**曾勇夫**

「毒品」！往往是紛亂社會與生命價值的燎原火種，它伴隨著各種不同的美麗藉口，猶如地獄之火，不分國界、種族，不斷地延燒、宰制人心與意志。目前全球每年因濫用毒品致死的案例不計其數，而更多的人因為吸毒喪失生活能力，更遑論透過販毒與吸毒所誘發的各種犯罪。

法務部為了反制毒品犯罪，不論在緝毒、拒毒或防毒、戒毒工作上，一向不遺餘力，尤其是為了提高國人對毒品的認識，九十九年有幸與慈濟大學合力推出《逆子》與《破浪而出》二部由真人實事改編的戒毒影片，並透過各地檢署、監所、毒危中心、學校的共同努力，舉辦數千場特映會與研習會，目的就是希望透過柔性訴求，讓社會各層面，尤其是年輕朋友與在學的孩子們，充分瞭解毒品是如何毀滅個人與家庭，期能弭患於未然。

從影片以及觀眾的反映，我們發現吸毒者能戒毒成功之關鍵，包括「自己意願、家人不棄、遠離惡緣、貴人陪伴、要有工作」五大要素，首先個案要有決心，而個案之決心又來自其生命當中有無關愛他、重視他、永遠等他回頭的人。二片劇中的主人翁因為家人的愛讓他下定決心改變，可是戒毒的路很漫長、艱辛，在來來回回、反反覆覆的戒毒過程中，支撐他改變的家庭力量能否持續，成為關鍵。惟有給家庭力量，家庭才能有能量支持毒癮者在戒毒路上繼續努力，所以，法務部推動的「家庭支持方案」就是希望社會各界能給予犯罪者家庭外部支持的力量。另一戒毒成功的支柱則是善的環境，即「貴人」相助，二部影片的主角都是因為出獄後到慈濟環保站做志工，在眾多慈濟志工陪同下，才漸漸擺脫毒品的誘惑，這就是個善緣，所以法務部發展「陪伴型志工」，用意亦即在此。

五十五年證嚴上人於臺灣花蓮，以克己、克勤、克儉、克難的精神創立慈濟功德會，四十六年來，慈濟的志業，從偏遠的花蓮一隅開展至全球五大洲，慈濟人以「人傷我痛，人苦我悲」的人文情懷，超越種族、國家、語言、膚色、宗教信仰的界限，在此人生價值觀模糊不清的紛亂時代，其所樹立的「大愛」精神，已成為一種難得的普世價值。法務部藉由反毒教育的機會，與慈濟結緣，也直接見證了慈濟人「大愛」、「大勇」的菩薩聞聲救苦精神與行動力，希望藉由這個活動的推廣，讓社會大眾能更清楚瞭解毒品問題，能更理解吸毒者身心的痛苦，進而接納並引導他們向善，成為他們生命中掙脫毒害的明燈與貴人。

推薦序

期待人心淨化、社會祥和

慈濟大學人文社會學院院長 **許木柱**

法務部的資料顯示，毒品問題近年來有低齡化的趨勢，這個現象將成為我們社會的重大問題，因為不管其等級如何，列為管制的各種毒品，對人體必然產生嚴重的傷害。根據美國密西根大學的研究，青少年會接觸禁制藥物，主要的原因是出於好奇、為了人際關係、減低壓力等。現代社會快速的生活步調與奢華的風氣，經常導致青少年對人生道路的迷惘，對藥物的認識不夠，加上電腦網路的發達、資訊流通極為快速，使得青少年人口的藥物濫用問題已經成為不可忽視的嚴重問題。

由於管制藥物都具有嚴重的成癮性，因此一旦接觸後，無論生理系統或心理認知與動機，終其一生都很難脫離藥物的殘害。基於這個問題的嚴重性，法務部與慈濟大學及大愛電視臺合作，製作了根據真人實事所攝製的影片，並邀請各個學術領域的學者、專家，從醫學、人類學、傳播等角度，在臺灣許多社區與校園進行社會宣導，期望收到防治之效。這樣的工作其實極為艱困，但法務部與慈濟大學仍然難行能行，完成了第一階段的社會宣導工作。

雖然第二階段的工作與後續的成效仍然有待觀察，但是對已經完成的第一階段工作，我們必須給予熱烈的掌聲。個人有幸能夠參與其中，將美國教科書所提到的青少年藥物濫用的現象，與許多聽眾分享，同時也聆聽了德高望重的臺大蕭水銀教授、慈大王本榮校長的精彩演講，更透徹的瞭解藥物濫用的嚴重性；而二位使用毒品過來人的現身說法，分享他們真實的人生經驗，以及慈濟師兄的真誠協助，他們的故事使人為之動容。

將這個具有社會文化意義的艱難工作分享給更多的讀者，背後牽引著許許多多隱形的慈濟人，特別是慈濟教聯會的老師們。所有相關人員的努力，目的只有一個：期待人心淨化、社會祥和。謹此向走在菩薩道上的所有單位與人員致敬。

推薦序

愛的轉動

林仲鋆文教基金會執行長　高淑美

林仲鋆文教基金會於九十八年六月經由慈濟王金鳳委員（現任林仲鋆文教基金會董事）介紹，有機緣認識陳乃裕師兄，談及基金會希望能與慈濟一同做些有教育意義的專案，為我們下一代的「生命教育」耕耘播種，盡一份力量。

機緣二是蕭水銀教授給慈濟大學王本榮校長的信函提到：「臺灣現在五萬八千多個監獄受刑人中，竟有超過二萬五千個煙毒個案，且有百分之九十的重犯率」，且受刑人因受毒品所衍生出的家庭、社會問題更是層出不窮。身邊一個真實的案例，嘉義梅山鄉某望族家中有一獨生子，年少不幸染毒，戒不勝戒，只好將其困居家中的獨木屋中，最後白髮人送黑髮人，聽者亦同感遺憾。所以，在關心此議題時，如何防範未然的理念油然生起，在陳乃裕師兄積極奔波聯絡下，本基金會很感恩能承擔一部分工作，來共同參予「無毒有我」專案。

孩子的成長過程中，觀念與思想正向與否往往影響到孩子未來的學習力。近年來，隨著科技文明的進步及環境的變遷，讓大家對時間的運用愈來愈緊迫，相對帶給人與人，乃至親子間的互動有愈來愈疏離的狀況，繼而，有些孩子因家庭功能未能充分發揮，導致心靈的不滿足，引起對毒品好奇，無形中成為校園隱形的困擾元素。一年來，我們感動地看到志工教師們願意任勞任怨放下手邊庶務，承擔「無毒有我」種子的責任。串起在北、中、南一場又一場的研習及宣導工作。志工們愛心源源不絕的付出，跨出這股愛心以「一轉十，十轉百，百轉千」的巨大力量，轉動著「無毒有我」專案的推行，同時也讓學校、社區、國家圖書館、影視界、醫界、法務部、教育部全員動起來，我們確信防毒的能力養成及毒品危害人生的觀念漸漸深植在我們學子的心裡。

作好事不能少我一人，林仲鋆文教基金會仍會本著「孝心、愛心、環保心」的宗旨，樂於結合其他慈善或公益團體，繼續參予深耕教育的工作，為我們下一代創造更美好的未來。

推薦序

無毒有我，捨我其誰

慈濟北區教師聯誼會總幹事
陳乃裕

要來談慈濟參與「無毒有我」教育宣導活動可以分三個階段：第一個階段要感恩臺大醫學院藥理所蕭水銀名譽教授，她是中研院林仁混院士的夫人，從九十八年五月慈濟大學邀請他們夫婦去演講，本是要請林仁混院士多談一些「茶道」，不預蕭教授卻針對臺灣的「毒害」侃侃而談，事後還寫信給王本榮校長，希望慈濟能多關懷這個層面。

後來我代表王校長至臺大拜訪蕭教授，她的話題依然憂心忡忡臺灣的毒害，希望慈濟人能多予關懷。證嚴上人帶領全球慈濟弟子，是一步要走八法印的，也就是慈善、醫療、教育、人文、骨髓移植、國際賑災、環境保護、社區志工等。我也當場向她表示：「慈濟雖然力量有一點，卻不是無限大。」後來她說：「毒品的危害變得如此嚴重，其實是父母、老師沒有常識和危機意識。」這一句提醒我：有關毒品的教育宣導其實是非常重要的。

我個人對毒的界定是分「有毒」和「無毒」兩個層面，「有毒」——已吸毒者，重點要放在關懷輔導；「無毒」——沒有吸毒者，重點則是教育宣導。我覺得後者尤其要下很大的功夫，這就是古人所謂的「上工治未病」。

於是我和王本榮校長商議後，為了保護我們的家園、校園，我們決定由慈大來主辦「無毒有我．有我無毒」的教育宣導，我們預計從北、中、南、東區，推行到全國。九十八年十月二十二日，我們也去拜會當時的法務部王清峰部長，向她請益如何推廣這樣的活動。至此可以說是第一個階段的工作。

第二個階段則是我們感覺這個工作應該是永續長遠地來推動，於是我和慈濟教師聯誼會的老師們立刻著手「無毒有我」種子師親的培訓事宜。九十八年十一月一日我們在慈濟臺北東區會所，為將近六百位的老師、大愛媽媽們，舉辦了第一場培訓活動；九十八年十二月二十六日，在慈濟豐原靜思堂舉辦第二場。

九十八年十二月二十七日，同樣在慈濟臺北東區會所，我們邀約種子師親們來參與「無毒有我教育宣導教材的研習」。教聯會為小學組設計了五個教學單元，中學組也是五個單元，讓這些種子老師無論在社區或校園宣導時，都有很完善的教案和教材教法。九十九年六月五日在高雄鳳山聯絡處，為南區的老師、大愛媽媽們做第三場種子老師和教材教法的培訓。

一百年八月十三日至十四日在慈濟大學辦一場「無毒有我的教育宣導博覽會」，把這一段時間裡我們的努力、我們的感動，具體地呈現出來；同時也展現慈濟大學對社會責任的承擔與教化之動能。

第二階段的種子師親培訓後，接著我們分兩路同時進行：一路是平常上課日，老師和大愛媽媽們走入校園做「無毒有我」的教育宣導；一路是週末假日，在各社區舉辦「無毒有我專題教育宣導活動」。目前在各社區已進行了十六場的教育宣導，參與的老師、親子和社區會眾，共有一萬兩千三百六十九人參與。這期間很感恩王本榮校長、法務部保護司黃怡君副司長、保護司視察房麗雲利用週末假日前往各會場關懷致意，尤其張裕煌科長共參與了五場！六月十三日的最後一場，更感恩法務部保護司費玲玲司長、蕭水銀教授親臨現場關懷鼓勵。

自九十九年一月北區教聯會共有雙和、文山、基隆等二十個聯區的老師和大愛媽媽進校園做「無毒有我」的教育宣導。至九十九年十二月底，互動的學校有三百九十七所；互動了一千三百五十場次，互動班級共是三千四百六十三個班級，參與互動的人次高達十萬八千四百〇四人次。

感恩很多學校校長、主任們的贊同和肯定；有的班級聽到隔壁班在上，紛紛來預約。其中有一很資優的中學生跟他媽媽說：「我對毒品很好奇，很想試試看，媽媽您放心，以我的毅力我絕對不會讓它上癮的。」從此之後，這個媽媽非常的擔心與不安，卻不知如何勸導兒子。直到有一天兒子放學回來主動跟媽媽說：「媽我不會去嘗試了，因為今天有一位慈濟志工老師到我們班上，上無毒有我的教育宣導，我才知道毒的可怕」。

六月二日，我和十位教聯會的老師一起南下恆春工商，為他們全校九百多位師生宣導。當我看到無論是社區或是校園，臺上的老師努力地宣導著如何防毒、拒毒，臺下的親子、老師、會眾專注地聆聽、學習時，真的很感恩與感動！感恩慈濟教聯會的老師們及大愛媽媽們的承擔，更感動大家一起顧好家園、校園與大社會的這一分愛。

第三個階段就是【無毒有我．大愛劇場】。這個好因緣是今年的春天，黃怡君副司長回花蓮，特意到慈大探望王本榮校長，知道慈濟大學在主辦無毒有我的教育宣導活動，深受感動。王校長談起慈濟的媒體——大愛電視臺，大愛劇場若能來拍攝真人真事的吸毒戒毒成功故事，做教育宣導，那這樣的效果就非常可觀，副司長也很認同。當我們把這個構想跟大愛臺報告時，沒想到他們已經拍好兩個個案故事了！

三月八日，王校長邀約了法務部保護司司長、副司長及其他長官、蕭水銀教授、高雄女子監獄劉昕蓉科長及四家的企業廠商：燦坤實業、華中投資、昇恆昌、柏泰園股份有限公司至大愛臺會商【無毒有我．大愛劇場】事宜。請大愛臺將這兩部故事精剪成九十分鐘的電視電影；很感恩這四家企業的贊助剪輯。

三月二十九日，王校長再次邀約法務部、教育部、大愛臺至慈濟臺北東區會所，齊商【無毒有我．大愛劇場】特映會的共識議題。

六月三日法務部舉辦的反毒大會中，我們已將這兩部片子贈給法務部、教育部、國防部、內政部、衛生署等單位，由法務部曾勇夫部長代表接受。期待有影片的加入，教育宣導的層面會更擴大，就如王校長所說：

「教育宣導活動要像水銀瀉地般，無孔不入！」更感恩法務部的首映會就選在慈濟桃園靜思堂，我們當地的師兄姊都非常地歡喜與感恩；更是全力以赴地圓滿其事。

六月二十四日教育部首場無毒有我特映會，在臺中市明德女中舉行，會中特別安排一個隆重的贈送儀式，由慈濟大學王本榮校長贈送給吳清基部長，再由吳部長贈送給校長代表臺中二中薛光豐校長。看完影片後，部長說：我哭了，我非常感動地哭了，一方面是由片中更深層地瞭解到毒對個人、家庭、社會的傷害太大了，另一方面是感恩王校長願意幫教育界提供這麼好的宣導教材，而且贈送四千片，請各校校長、教官一定要善用，好好做好教育宣導工作。

六月二十五日法務部首場無毒有我特映會，在慈濟桃園靜思堂舉行，由桃園地檢署承辦；在佛陀的見證下，部長與法務部所屬的各單位主管，包括司長、副司長、典獄長、檢察長、主任檢察官、主任觀護人、毒危中心及反毒志工；秉持著「在苦難中長養慈悲，在變數中考驗智慧」；全民總動員，無毒保家園。

陸陸續續會有法務部、教育部、國防部、內政部、衛生署在各部門辦理的無毒有我特映會，當然也會有慈濟大學在各社區辦理的特映會。我們深信如此，真的是無孔不入的教育宣導，讓毒無門而入；定能守好我們的家園、校園與社會的大觀園。

解開毒品真相

毒來毒往：
中國歷史有關毒的二三事

國家圖書館特藏組編輯　黃文德

壹、前言

「毒」在中國發展之歷史悠久，而且兼具善與惡之雙重意義。漢代經學大師許慎在《說文解字》認為：「毒，厚也。」又說：「害人之艸，往往而生。從中，從毒。」這句話所提到的「中」，讀音如「徹」，意思是初生的草木。換言之，植物剛萌芽初生時，常帶有毒素傷人，成為毒草。許慎所屬時代，由於中國本草醫學仍在發展，對於植物特性尚未完全掌握，因此有所謂初生毒草的疑慮。到了清代，中國醫學達到成熟的階段，對植物藥理上的運用已有千年經驗，段玉裁對此則解釋為：「『毒』，兼善惡之辭，猶『祥』兼吉凶；『臭』兼香臭也。」也就是說，毒既可害人，也可拯救生命，具有一體兩面的效果。古人想像上古帝王理想官制的著作《周禮》其內容也有設醫師之職：「掌醫之政令，聚毒藥以共醫事」。這裡指毒藥既是辛辣之藥，亦是治療之藥。在民智未開的時代，帝王宮廷掌握藥物資訊，等於控制了醫學的發展。

相對於中國文化賦予「毒」兼具善惡的性質，早期西方世界對毒的認識則更充滿傳奇，如在一八五九年，《格林童話》（Children's and Household Tales）出版，美麗的白雪公主原本慘遭巫婆化身的皇后在蘋果下毒，險些香消玉殞，最後又因為王子真愛之吻，奇蹟似地起死回生。在真實的西洋歷史中，不少君王對於毒的著迷，其用毒的記錄則亦富於戲劇性，如西元前一世紀，位於黑海南岸小國本都國（Pentu）的米特拉達梯五世國王（Mithradates V），不僅有製毒、用毒、父親遭母親下毒的家學淵源，還因為擅長使用毒藥對付國內外敵人，一度成為當時羅馬帝國最頑強的眼中釘，故有毒王（Poison King）之稱。約略與毒王活動時代同期的埃及豔后克麗奧佩翠拉（Cleopatra VII Philopator）亦不遑多讓，這位一代女王在莎翁（William Shakespeare）的戲劇中是以毒蛇咬胸口、手臂自殺身亡。女王之死究竟是毒蛇致命？或者如當代學者研究係來自其它毒藥？迄今仍為懸案，但類似透過下毒解決衝突，在二十世紀以前中國與歐陸各國歷史與傳奇故事中處處可見。

而近代東亞遭遇毒品問題肆虐，源自於一八三〇年代，英國將鴉片輸入中國，毒害民眾，其實當時西方對於毒品的成分認識也不多，至一八三六年才首度有英國化學家馬許（James Marsh）在一宗刑事案件中，從咖啡中分析出砒霜成份。此發現距離一二四七年（南宋理宗淳祐七年）宋慈《洗冤錄》討論砒霜中毒癥狀，遠遠落後將近五百八十九年。僅管中國人對毒的討論著作，汗牛充棟，十九世紀初鴉片傳入中國流行後，毒來毒往，原可作為救人藥物的罌粟，竟轉變為毒品，導致國家動盪，影響清末迄民國百年歷史發展。

貳、用毒、下毒、服毒與近代毒品戰爭

有關控制毒或者毒藥的紀錄，早在上古文獻《周官》中就有秋官司寇下的庶氏主管「毒蠱」，但文獻沒有進一步說明庶氏是飼養毒蠱，或是製作蠱毒之解藥。也有學者認為上古時期庶氏在政府部門的職能應與公共衛生有關。

從春秋時代以後，歷代君王除了管理邦國軍政，還得注意家庭問題，以防奪位弒親，特別是遭政敵下毒暗算，如西元前七世紀，晉獻公寵愛驪姬，後者為了讓自己親生的兒子奚齊繼承王位，便在呈上獻公的肉品中下毒，然後嫁禍給太子申生，使其自殺。秦漢大一統時代來臨後，帝王宗室悲劇持續上演，漢初呂后聯合諸呂，打破非劉氏不得王之鐵律，先殺趙王劉如意，繼之以鴆酒連續殺趙幽王劉友與趙共王趙劉，史稱「滅亡

三趙」。劉氏雖然一度振興，未料西漢末年外戚當政王莽還是鴆殺孝平皇帝，代攝天子位，欲絕漢室。不僅漢人用毒解決政敵，魏晉南北朝時代進入中原的遊牧民族政權也有同樣的現象。西元四七六年，北魏馮太后，因不滿已退位的獻文帝拓跋弘（非馮太后所生）殺害她的男性寵臣，也有樣學樣以鴆酒殺害拓拔弘。

約略在兩漢時期，另一種用毒的趨勢出現，根據《冊府元龜》這部具有古代百科全書性質的文獻記載，當時部分文人與術士為了追求煉金，或者長生之藥，開始根據上古時代留下來的傳說，秘密進行練製丹砂。這種丹砂的主要成份是礦物質，特別是硫化物，毒性甚強。

到了魏晉南北朝時，玄學創始者何晏，他因身體不佳，開始服用五石散。所謂五石散，一代文學大師魯迅在「魏晉風度及文章與藥及酒之關係」演說中提到，主要是石鐘乳，石硫黃，白石英，紫石英，赤石脂。服用之後，必須行走才能讓藥性散發，而行走之後，全身發燒，發燒之後又發冷。同時也因皮肉發燒，所以不能穿窄衣。為預防皮膚被衣服擦傷，就非穿寬大的衣服不可。魯迅也批判晉人輕裘緩帶，寬衣，在當時或以為是高逸的表現，其實是吃藥的緣故，心裡都是很苦的。他還引用晉《高士傳》作者皇甫謐的自述，說明服用藥散之後，藥性難以控制，輕則受苦、發狂、痴呆，重則喪命。上流階層服散之惡習，到五代後唐莊宗時仍有國家重要官員，不以進賢勸能為務，只追求修煉求長生之術，因服丹砂，嘔血數日垂死。

對照知識階層以服用昂貴丹砂，追求養生與營造玄談氛圍，中國古代百姓平民絕大多是因為碰觸蟲蛇毒物、狂犬、植物、食物中毒或者因位處閩粵蠻荒地帶拓墾，受瘴癘之氣所苦而中毒。早在十三世紀中葉宋慈撰寫《洗冤錄》已有詳盡中毒徵狀與驗屍紀錄，可見當時平民能取得之毒物也不限於砒霜、鴆酒。另外，宋慈在記錄提到南方居民因負氣或者爭鬥衝突，動輒採集斷腸毒草服用自殺，以死誣賴他人。這種害人害己的奇特風俗至十六世紀末，仍為當地嚴重的社會問題根源，不少家庭因而破碎。

明末董應舉在擔任地方官時，為解決毒草問題，於是想出招募民眾挖掘毒草根五根，賞銀一分。董氏的計畫是否奏效，文獻不足徵，但民間用毒隨著文化發展，更加複雜。一八七七年（清光緒三年）湖北布政使潘霨主編《洗冤錄詳義》時，一般刑案常見的中毒類型增加到蠱毒、金蠶蠱毒、鼠莽草毒、巴豆毒、砒霜毒、鉤吻毒、冰片毒、水銀毒、果實金石藥毒、酒毒、藥毒菌蕈毒、銀釉毒、鹽滷毒、灰汁毒、莨菪毒、苦杏仁毒、草烏頭毒、鴆鳥毒、蟾酥毒、鉛粉毒、輕粉（水銀加鹽礬製成）、鴨嘴草毒。書中還特別舉出十四種食物相剋導致中毒，以及因住宅空氣污濁及煤礦場煤炭穢氣中毒。

值得注意的是，當時官府已知空氣流通有助於預防煤炭中毒，但卻不知其真正原因在於瓦斯氣體，誤以為是煤土有毒。潘霨特別指出煤礦與中毒的問題，或許與一八七六年李鴻章在湖北廣濟開採煤礦引發的礦災有闕。為了和西方列強抗衡，政府官員與知識份子相繼投入洋務運動的改革浪潮，譬如採煤煉鐵，製造槍砲，官督商辦經營企業，以挽救中國在千古未有之變局下的頹勢。

將時序回溯到一八三〇年代，當時英國因對華貿易逆差問題無法解決，大量白銀流入中國，為了改變獲利，於是從印度殖民地引進中國人稱之為洋藥的鴉片（opium）。由於吸食鴉片者越來越多，嚴重危害國家財政、社會治安與民眾健康。因此，一八三八年鴻臚寺卿黃爵滋上奏道光皇帝稱：廣東洋船販售鴉片，導致吸煙盛行，白銀大量外流，蔓延蠱惑人心，實前所未有之大患，其禍烈於洪水猛獸，積重難返。而年輕的湖廣總督林則徐也上奏道：「煙不禁絕，國日貧，民日弱；十餘年後，豈惟無可籌之餉，抑且無可用之兵。」於是，道光皇帝遂派遣欽差大臣林則徐前往廣州執行「禁煙令」開啟鴉片戰爭的序曲。

即便是對英國社會而言，以鴉片毒品問題對外宣戰，爭議極大，故國會僅以二七一票對二六二票通過對中國採取軍事行動，英國史家也將這場戰爭定位在通商戰爭（Commercial War）。東西方兩大帝國戰爭的結果，鴉片竟然成為合法商品。不過，十九世紀末中國官員掌握國際法與貿易知識後，如李鴻章等人也開始提出各種反制政策，如放寬各省種植罌粟之禁、加重鴉片稅金釐金，同時逐步頒布法令禁止吸食，協助戒除煙癮。於是這場沒有煙硝的毒品戰爭在十九世紀末竟然還轉變成國產土藥與外來洋藥之間的對抗。

一九〇六年中國政府鑑於各國體認鴉片對於人道傷害甚深，朝廷乃頒佈十年禁絕之命令，十年之內減緩罌粟種植面積、鴉片進口、販售煙土，設置禁烟大臣與戒烟所，同時限定醫療用途，藉以導正鴉片遭人不當使用。地方政府為求改革，也採取各類禁毒措施與宣導。中國官方的舉措不單引起英國政府配合，各國也相當關注。未料一九一一年十月十日辛亥革命爆發，同年十二月一日，各國在海牙召開國際鴉片會議，翌年一月二十三日，與會諸國簽署《海牙鴉片煙公約》（Hague Opium Convention, 1912），但政局動盪，特別是一九一七年以後南北分裂，北京政府自顧不暇，地方軍閥割據，視烟館為重要稅源，用以供養軍隊財源。如要官方嚴格禁煙，無異天方夜譚。

一九二〇年代，在國際關係史上是反毒運動重要的年代，卻也是最為挫折的年代，儘管一九二五年二月十一日各國在日內瓦簽訂關於熟鴉片之製造、國內貿易及使用之協定；同年二月十九日又在日內瓦簽訂國際鴉片公約。國民政府北伐成功後，將鴉片問題與反帝國主義者外交政策結合，激起各地政府與民眾響應。一時之間，反毒禁煙運動從國民黨黨員、公務人員，乃至部隊官兵，擴散到社會各階層。然而，到一九二〇年代末期為止，吸食鴉片從未遭到徹底禁絕，新式毒品嗎啡開始出現在沿海地區，一向深受毒害的中國甚至還轉變為鴉片輸出國，走私外銷南洋地區英屬殖民地。這時英國反倒過來控訴中國傾銷鴉片危害其國人健康。為此，一九二九年底國際聯盟（League of Nations）還一度組織遠東鴉片調查團，來華訪查大陸種植與宣導禁絕鴉片情形。

經過數年努力，一九三七年國際聯盟召開大會與鴉片委員顧問會時各國代表對中國禁煙給予肯定與支持，另一方面對於日本在中國東北與華北地區製造與運輸鴉片，其毒燄將殃及整個人類，嚴加痛斥。儘管中華民國政府曾將鴉片問題與對日抗戰提高到視同民族仇敵等級，力主「抗戰禁煙同一重要，不容軒輊」，惟內憂外患，加上日軍在占領中國期間大肆毒化民眾嚴重，導致鴉片在大陸禁絕問題迄一九四九年仍未解決，直到一九五〇年中共利用民氣為後盾，強力掃蕩鴉片，這才徹底一掃百餘年之毒瘤。

參、近代臺灣歷史上的毒品問題

談到臺灣歷史上的毒，不能不提及清代巡臺御史黃叔璥所著《臺海使槎錄》將他於一七二二至一七二四年在臺灣南部地區所見鴉片的吸食方式、鴉片館經營，以及成癮症狀的敍述：

鴉片煙，用麻葛同鴉土切絲於銅鐺內煮成鴉片，拌煙另用竹筩實以棕絲，群聚吸之。索值數倍於常煙。專治此者，名開鴉片館。吸一、二次後，便刻不能離。暖氣直注丹田，可竟夜不眠。土人服此為導淫具；肢體萎縮，臟腑潰出，不殺身不止。官弁每為嚴禁。常有身被逮繫，猶求緩須臾，再吸一筩者。

臺灣在近代東亞歷史雖迭遭外敵入侵，但就社會層面而言，因為經濟力量的吸引，往往出現走私、販毒，地方官署因力量薄弱，難以禁絕。一八九五年馬關條約簽署後，清廷將臺灣割讓日本，兩國談判特使李鴻章與伊藤博文在會談時一度談到臺灣鴉片問題。李氏認為臺灣因瘴氣嚴重，導致一八七四年日兵出兵恆春傷亡甚多，反觀臺灣人民多吸食鴉片煙，所以才能避免瘴氣。伊藤氏則回以日後統治臺灣必定禁絕鴉片。實際上臺灣吸食鴉片人數的確因吸食牌照管制而逐年減少，但鴉片也在商品化生產後成為專賣事業重要產品，不僅持續毒害臺灣人民，也毒害世界人類。

二十世紀初的臺灣，吸食鴉片既然被官方有限度的允許，相較於中國大陸如火如荼進行戒斷運動的推行，臺灣社會在殖民主義的壓力下卻無法產生積極的反毒力量，如一九〇五年的《臺灣日日新報漢文版》曾刊出這麼一則報導嘉義地區風俗的筆記，作者目睹吸食鴉片煙竟成為人際交往的媒介，十分感嘆道：

> 試觀攀花折柳，非此無以極其歡；款客留朋，外是無以盡其禮。尤可怪者，香閨少婦、綉閣雛姬，或亦間染此習。至青樓中人，則什有八九，遂令粉黛半作骷髏，香花別成臭味。其毒愈流愈遠，其弊愈墜愈深。一染於斯，無可救藥；豈奪士子之心，惟茲微物，抑消霸王之志。

當時在日本本土，鴉片的使用嚴格限定在醫學用途，官方對於國民吸食，採取嚴厲的處罰。特別是一九一二年各國簽署《海牙鴉片煙公約》後，各國逐漸禁絕鴉片販售與製造，同時也要求其他國家遵守。在日本國內，學者對於總督府的鴉片政策也有所批判。一九二〇年代臺灣社會運動興起，一九三一年楊肇嘉先生首度以鴉片問題控訴日本殖民當局，始引起國際間注意臺灣毒品問題。

諷刺的是，日本統治臺灣以後，醫界經過多年培養的臺籍醫師人材，或許是受到一九二〇年代社會精英參與政治與社會運動的影響，如臺灣第一位醫學博士杜聰明博士，利用官方雄厚的醫學資源，開始投入有關鴉片醫學，毒癮檢測，以及社會救濟的研究，形成另一種臺灣人追求民族與人道意識的表現。日本作家湖島克弘創作的歷史小說《杜聰明與阿片試食官》就是在描繪杜聰明如何研究鴉片、嗎啡，以及協助患者戒斷毒癮。一九四五年臺灣光復後，行政長官公署一方面斷絕製造鴉片專賣制度，另一方面則賡續臺灣總督府協助民眾戒斷毒癮政策，終於在一九五〇年底讓鴉片毒癮在臺灣消聲匿跡。

肆、結語

綜觀中國歷史上的毒，從遠古神祕的草藥格物之學，其既能醫人，也能殺人，知識與用法完全掌控在宮廷及官府手中，遠非平民百姓所能接觸。隨著歷代醫學與植物知識的發展，對毒的認識、下毒、用毒也在王官之學與民間習俗之間擺盪，相互交融。這也間接促成十九世紀前中國傳統刑案鑑定醫學較西方更為發達。

一八三〇年代鴉片流行於中國大陸，不僅撼動國家，也改變東亞國際關係。數十年後，當土洋鴉片大戰的結果，來自海外的洋藥逐漸失去優勢地位，而中國境內更激起官民禁煙運動，其聲浪引起各國高度重視，中國也順理成章加入國際鴉片禁絕相關公約。然而，中華民國建國三十餘年，內憂外患，使得毒品在一九四九年以前的大陸未曾消失。

但在歷史錯綜複雜的因果交織下，一九五〇年代初期兩岸卻又同時解決了禍國百年的鴉片問題，但新的毒品戰爭仍然在社會以其它形式上演。為了提醒國人過去遭到毒害的悲慘歷史，六三禁煙節成為政府重要紀念日，然而隨著時空環境的轉變，早期宣傳著重於戒斷吸食鴉片煙，而今則訴求戒除香煙（cigarettes）等煙草製品吸食與麻醉品、藥物濫用問題。

一九〇二年梁任公在《新民說》提到：「吸食鴉片以戕其身體，鬼躁鬼幽，躚步欹跌，血不華色，面有死容，病體奄奄，……合四萬萬人，而不能得一完備之體格。嗚呼！其人皆為病夫，其國安得不為病國也？」回顧百年毒品戰爭，風雲詭譎，守成不易，否則東亞病夫之形象再起，國人當引以為鑑戒。

教育部反毒政策作為

教育部

本部吳部長清基強調「教育施政理念與政策」的重點，包括「提供一個優質的教育環境，讓孩子快樂學習成長」及「培養有競爭力的社會好國民、世界好公民」等兩項願景，而各個階段有其目標需要達成，學前幼兒教育階段，希望能健康、幸福成長；國小階段期盼孩子在沒有升學壓力下活潑、快樂學習，養成良好生活習慣；國中多元適性發展，能依照孩子的性向、興趣做最好的發展；高中朝向通識教育，而高職則以能力本位教育為主；大學朝專門學識發展，技專校院則有專精技能；研究生朝高深學術研究；社會成人則朝終身學習；新移民教育則偏重外籍配偶文化適應及親職教育。在此目標及階段性發展下，即是以全人教育、生命教育、終身教育、完全學習、健康校園五大主軸加以推動，以多元智能、全人格教育、強調本土化、重視國際化等策略，除重視五育均衡及技能、學識發展外，更應關心孩子品德教育、生命教育，預防並降低校園危險及傷害，有效杜絕藥物濫用及校園霸凌等問題。

綜觀現今藥物濫用的問題已是全球共通性的問題之一，因此世界各國莫不致力於防堵毒品，以遏止其危害。尤其面對新興毒藥品不斷推陳出新，加以資訊傳播管道迅速且多樣化，對年輕族群產生致命的誘惑，使得藥物濫用預防工作面臨艱困的挑戰。隨著社會風氣的開放，社會經濟結構改變，家庭型態及生活方式急速變遷，現今雙薪家庭、隔代教養、單親家庭愈來愈多，家長忙於工作賺錢，對子女疏於照顧與溝通，家庭關係薄弱的結果，導致學生向外尋求慰藉，同儕間相互感染惡習，使校園藥物濫用問題持續惡化，加上新興毒品層出不窮，毒品流通管道泛濫，年輕人在好奇無知之心態下，容易受人引誘；根據多項數據統計，第一次接觸毒品年齡有向下蔓延之趨勢，在青少年心智發展未成熟階段，為防制藥物濫用往下擴張，期望能藉由適當的宣導教材達到對該年齡層的學生實施預防教育，增加學生對於毒品的認識及能警覺並遠離毒害的危險因子，提昇青年學子對毒品的免疫力。

本部自八十二年起推動春暉專案，即積極推動防制學生藥物濫用工作，建立三級預防機制，為遏止學生藥物濫用行為，本部於九十四年訂頒「防制學生藥物濫用三級預防實施計畫」，建立藥物濫用三級預防輔導作業流程，提供各級學校參考運用。為推動校園反毒工作，自九十六年度起邀集民間團體、專家學者及學校代表成立工作圈，研商推動防制學生藥物濫用各項方案，積極推動防制毒品進入校園實施策略。同年修訂發布「防制藥物濫用三級預防計畫暨輔導作業流程」，並於九十七年五月九日函頒行政院核定之「防制毒品進入校園實施策略」，藉教育宣導、清查輔導及輔導戒治三級預防架構，積極辦理各項防制學生濫用藥物工作。並於同年修訂完成，以協助各級學校建立標準作業流程，期以，早期發現學生偏差行為，俾積極介入輔導與協助。其中，一級預防著重藉由減少危險因子、增加保護因子，讓學生遠離藥物濫用，並能適性發展，活得健康；二級預防著重落實高危險群篩檢，並實施介入方案，以早期發現，早期輔導，達到預防藥物濫用、成癮或嚴重危害。三級預防著重透過結合醫療資源，協助藥物濫用學生戒治，以降低毒品危害，並預防再用。主要作法重點如下：

一級預防：辦理反毒師資培訓、編製教材，落實反毒教學、辦理學校與社區反毒教育宣導、家長參與，增加反毒認知、充實學校輔導人力資源，妥適照顧高關懷學生、設計多元適性課程，強化學生學習興趣，預防學生中輟、加強經濟弱勢學生就學輔導，減少失學、加強未升學未就業青少年職業與技藝輔導、依學校屬性加強保護因子。

二級預防：完善中輟生回歸校園安置就學措施、強化清查與篩檢功能、加強毒品查緝工作、完善篩檢資源、強化學生施用毒品輔導諮商網絡。

三級預防：轉介個案至地方毒品危害防制中心或行政院衛生署指定藥癮戒治機構、藥物濫用諮詢及輔導機構賡續戒治；對於學齡青少年經裁決強制勒戒或服刑出所後，將資料函送地方毒品危害防制中心實施社工追輔，對於有就學意願者，安排轉換學校就學，並重新列入該校特定人員，重複實施輔導。

為提升學習成效，從以往接收行政院衛生署及法務部宣導資料，至九十六年起本部研編分齡教材，以不同學制開發適宜的教材，本部結合實務工作者、專家學者、法務部、行政院衛生署等人員共同研編，陸續開發並印製《想High、不需藥害》、《防制學生藥物濫用教學補充教材（國中篇）》及互動式教學光碟、《一毒百害我不愛》創意教案成果彙編（國中篇）及（高中篇）、《青春正high 不要毒害》大專院校新生防制藥物濫用教學影片等，以提供新生訓練反毒教材，充實學校反毒教學資源；同時與民間反毒社福團體合作，透過參與戒除、教育宣導及教材製作等工作，並邀請戒毒成功人士現身說法提供戒治諮詢服務，凝聚社區及各界反毒資源力量，強化宣導功效，共同喚起家庭、社區對藥物濫用防制的重視，共同防制學生藥物濫用。反毒工作除政府單位大力推動，尚須社會各界全力支持，本部除補助民間團體，並請學校積極與宗教單位結合，如基督教晨曦會、主愛之家、淨化基金會……等加強學校反毒教育宣導工作，提高反毒正確觀念的傳播，本部以往獲得反毒宣導影片多為教條式宣導方式或生硬的內容，劇情結構較不能撼動人心，無法對青少年引起學習動機，導致宣導成效有限；本部有鑒於此，特於九十九年結合法務部與慈濟基金會合作攝製，更生人戒毒成功真人故事之《逆子》、《破浪而出》等二部反毒宣導影片（各九十分鐘），因劇中故事確為真人真事，且為真實且戒毒成功之個案，其內容深具反毒、生命、全人教育及教化人心之意涵，為讓學校與學生更加深切認識毒品的危害，強化對學生反毒教育宣導，呼籲重視防制藥物濫用三級預防工作，本部特別透過特映會活動並補助各縣市及大專校院辦理反毒宣導影片特映活動播放，並為提升學習效果，本部特針對不同學制，研發不同學制學習單供學校於播放後進行互動教學，提高學習成效，深化反毒宣導效果，期盼喚起家庭、社區的重視，強化反毒宣導建立正確觀念，共同營造健康無毒的友善校園，進一步達到共同防制學生藥物濫用之目的。

本部分別於九十九年下半年度特別安排各縣市及大專校院反毒影片特映活動，並邀請部次長、主任秘書、各縣市教育局處長、各級學校校長、學務主任、輔導主任、老師、學生、志工等共同觀賞，並由本部吳部長親自將受贈的反毒宣導影片轉贈學校，本部補助各縣市及大專校院資源中心辦理計二十六場，共邀請五千一百八十七人出席觀賞。在各縣市推動之時，深獲各級學校及教育人員廣大的回響，本部第一次獲贈反毒宣導影片計一千八百九十片，發送大專校院、高中職校、國民中學每校一套，因獲贈片數不足提供全國國小所有學校數，國小採各縣市每十校分配一套，後續於校園推廣略顯不足；而在國小片數不足的情形下，各縣市國小教育人員觀賞反毒影片後，極力反映希望能補足國小數量，而不同縣市特映活動場合，慈濟基金會代表即當場承諾補贈影片計兩百七十六套，到最後，慈濟教聯會更促成另一件美事——將全國不足的國小數量一次補足，也就是再贈送本部兩千一百套，使得本部受贈片數總計達四千兩百六十六套。這套反毒宣導影片不同於以往內容，以《破浪而出》一片為例，劇情所刻劃吸毒的動機、受同儕間的影響及誘惑、而家人支持與關係微妙的改變、情感的期待，以及社會各界對更生人重入社會的看法與接受程度，都在在傳遞反映真實的社會面，讓涉世未深的莘莘學子有如當頭棒喝地如大夢初醒般震懾，例如在面對年邁父母的傷痛絕望、妻離子散的悲劇，以及假釋出獄後，遭人排擠的困境，都有相當教化人心的憾動。

第一場反毒宣導影片特映活動配合吳部長陪同監察院九十九年教育及文化委員會巡察臺中地區教育文化的空檔時間，特別安排在九十九年六月二十四日傍晚時間在臺中市明德女中盛大舉辦，由吳部長親自主持特映活動，同時邀請臺中市、臺中縣中等學校校長或主任、學校老師、教官、志工等共同觀賞影片，在活動開始之初，吳部長致詞強調本部防制藥物濫用的決心，感謝有這麼好的反毒宣導教材，而在播放《破浪而出》反毒影片後更舉行受贈儀式，由慈濟大學王校長代表慈濟基金會將反毒影片贈予本部，吳部長再將其轉贈學校代表，而在休息片刻之後，活動進入，除安排大愛電視臺、慈濟大學王本榮校長、教育處處長等貴賓共同蒞會與談，加深學校教育人員對影片內容瞭解，以利後續學校推廣。而活動另一個高潮是在現場的是劇中真實人物蔡天勝先生及林朝清先生的出現，在互動與會談中更是給予現場參與人員極大的震憾，特別是吳部長親自說出觀賞影片的過程中深受感動而落淚，說出「政府資源有限、民間力量無窮」，這次的反毒影片跳脱以往的教條式宣教，使青年學子能透過真人實事的情節深刻體認藥物濫用對於身心的威脅，影片也告訴大眾人生有許多的十字路口讓你去徘徊，轉對的方向人生從此平坦，前途光明，踏錯一步，一失足成千古恨，浪子回頭金不換，歹路不可走，歹子不能做，莘莘學子看完之後應該會有很大的啟示。最後吳部長也期望在社區、家長、檢警、專業輔導及醫療機構的積極合作下，持續落實防制學生藥物濫用工作，防制毒品戕害校園學子，建構健康無毒的清新校園。

吳部長會後更在輿情會議時要求本部對內部同仁播放反毒影片，各次長、主任秘書親自參與各縣市舉辦的反毒影片特映活動與觀後與談，宣示本部持續推動現有反毒教育工作，落實教育宣導、強化清查篩檢、投入輔導諮商、戒除等工作，以防止毒品戕害青少年，並透過整合政府及民間社福團體龐大的反毒力量，結合社區相關資源及專業醫療、輔導機構，以降低危害，預防再用，並與警政單位合作共同打擊販毒等不法犯罪，協助學生回歸正軌，達成「健康校園」之目標。

另本部於九十九年九月八日於新竹市立建功高中舉辦竹苗區（新竹

縣市、苗栗縣）反毒影片特映活動，邀請中等學校校長、主任、教師、軍訓主管及教官等共同觀賞，同時也邀請新竹市許明財市長、新竹縣市、苗栗縣教育處處長、見證人蔡天勝先生、林朝清先生、黃瑞芳先生、慈濟大學王校長等蒞會與談，加深學校教育人員對影片內容瞭解，以利後續學校推廣，而退休教師張琪葳熱心義舉，讓新竹縣、市及苗栗縣國小每校各醫套反毒影片，可以落實加強國小反毒教育，此舉也造就後續慈濟教聯會再次贈予本部反毒影片，補足原本國小二千六百五十四校不足的影片數量，共同喚起家庭、社區對藥物濫用防制的重視，更擴大推動全國各級學校加強反毒影片播放，共同關懷特殊族群，落實防制學生藥物濫用三級預防工作，營造無毒清淨的校園環境。

有感於反毒影片宣導獲得學校廣大的迴響及學生教職員生的認同，本部除請各級學校充分運用宣導素材，後續更結合法務部的觀後心得比賽活動，落實推動反毒宣導工作，透過實際個案的經驗分享具有高宣導力的方式，將影片意涵傳達給莘莘學子，期盼能以積極樂觀的態度面對生活，發展多元正向嗜好，提高自我發展能量，確立自我價值信念，以堅定的自信懂得拒絕對己不利的事物，當有藥物濫用問題時能適時向家人、學校提出協助需求；教育應從生命教育、全民教育、法治教育引導深入，讓孩子知道施用毒品是違法的行為，讓孩子知道要珍惜自己生命，不能自毀前程，並要善用自己的性向、興趣及能力規劃璀璨的人生，進而以積極樂觀的態度拒絕毒品、遠離危害。

學校拒毒的過去及未來

教育部軍訓處長　王福林

壹、前言

毒品戕害國民健康，衍生犯罪問題，嚴重影響社會治安、公共衛生及國家安全，已是全球共通性的問題，因此世界各國莫不致力於防堵毒品工作，遏止其危害。尤其面對各類新興毒藥品不斷推陳出新，加上資訊傳播管道迅速且多樣化，毒品流通管道泛濫，新興的濫用藥物種類也愈來愈多，在時下年輕人求新、求變、求刺激、趕流行、好奇心的心態、沉迷於虛擬幻想世界，以及容易受到外界或同儕的不當引誘，受影響的年齡層有著向下蔓延的發展趨勢；而在我國隨著社會風氣的開放，整體經濟結構的改變，家庭型態類型及生活方式正在急速變遷，面對著雙薪家庭、隔代教養、單親家庭有愈來愈多的趨勢，造成多數的家長們因為少子化的結果致使家長愈加疼愛子女，或是忙於維持家庭生計而對子女疏於照顧與相處溝通，導致家庭親職關係也愈來愈薄弱，逐漸喪失家庭教育的功能及支持，使得藥物濫用預防工作面臨著更嚴峻的挑戰。

根據多項數據統計，青少年接觸毒品的年齡層有向下擴張延伸之趨勢（如表一），為遏止此一現象，如能在青少年心智發展未成熟階段，藉由適當的反毒教育宣導教材達到對不同年齡層的學生實施預防教育，增加學生對於毒品的認識及提高警覺與拒絕技巧，並遠離毒害的危險因子，提昇青年學子對毒品的免疫力。

回溯民國七十九年五月，行政院衛生署鑒於安非他命檢驗案與醫療院所毒品中毒案例激增，及媒體陸續報導安非他命入侵校園事件，即發布安非他命可能引發大流行之警訊，並即刻採取將安非他命列入《麻醉藥品管理條例》，禁止於醫療使用、召開「防制濫用安非他命工作業務協調會議」等行政措施。教育部亦配合成立「春暉專案推動小組」，期藉由軍訓教官及護理教師於校園執行學生生活輔導工作，針對高中職以上特定人員避免物質濫用而加以查察輔導，藉以維持無毒的校園環境。

毒品氾濫問題隨時代的變遷而變化莫測，為持續推動全民反毒運動，行政院在民國八十三年首次舉辦「全國反毒會議」，之後每年定期召開全國反毒會議，行政院為貫徹反毒決心，全面向毒品宣戰，於九十三年宣示民國九十四年至九十七年定為「全國反毒作戰年」，並於九十四年訂頒「行政院毒品防制會報設置要點」，定期召開反毒會報加強各行政單位間之聯繫，落實緝毒、拒毒、戒毒工作，展現政府重視及防制之決心。同時邀集民間團體、學者專家及行政機關代表進行研討針對毒品犯罪特性，擬定各項策略，全面推動反毒工作，期能匯集各界智慧與經驗，結合政府與民間力量，凝聚全民反毒共識。

為有效遏止毒品氾濫，行政院於九十四年十一月恢復設置「行政院毒品防制會報」，並於九十五年六月二日召開「行政院毒品防制會報」，調整反毒策略為「首重降低需求，平衡抑制供需」，將反毒政策轉向著重降低毒品需求，即以「拒毒」防止新的毒品施用人口產生、以「戒毒」減少原有毒品施用人口為主，教育部為拒毒預防之主要機關，著重於學校防制學生藥物濫用三級預防工作。

在策略方面，包括結合媒體力量、整合各界資源，運用「反毒宣講團」加強反毒教育宣導，擴大反毒宣導層面，加強人才培訓，落實尿液篩檢、建立個案通報系統等，積極建立反毒聯繫及通報網絡，將以往侷限於以校園為主要宣傳範圍，延伸到家庭、社區、社會等各個層級，尤其針對高危險場所與族群，建立篩檢制度，並預訂於九十九年將毒品危害防制中心法制化。

貳、各級學校拒毒的策略與措施

一、民國九十七年五月前的主要措施

教育部為加強防制學生濫用藥物，從民國七十九年十二月十一日訂頒「各級學校防制學生濫用藥物」實施計畫，另鑒於菸、酒、檳榔為學生藥物濫用之先趨物質，復於八十年九月三日將「防制藥物濫用」、「消除菸害」、「預防愛滋病」等三項工作合併納入「春暉專案」當中；而於民國八十四年再納入「酒」與「檳榔」二項，並積極推動防制學生藥物濫用工作，惟反毒是一項艱鉅而且必須持之以恆的工作，需要結合家庭、學校、民間及政府的力量，持續關注與投入，始能見其成效。

（一）訂頒防制學生藥物濫用三級預防實施計畫

為遏止學生藥物濫用行為，教育部於九十四年訂頒「防制學生藥物濫用三級預防實施計畫」，著手建立三級預防機制及輔導作業流程，同時

為精進校園反毒工作，更進一步於九十六年度起邀集民間團體、專家學者及學校代表成立工作圈，研商推動防制學生藥物濫用各項作為，修訂發布「防制藥物濫用三級預防計畫暨輔導作業流程」，期建立「校園、家庭、社區、社會」濫用藥物三級預防輔導機制。

（二）成立春暉專案推動小組

為強化預防藥物濫用工作，教育部成立春暉專案工作小組，首重一級預防教育宣導，因「預防勝於治療」乃「減少需求」的第一環，尤其針對未曾施用毒品者，宣導其危害使其終生不敢碰觸毒品，包括辦理反毒文宣創作設計競賽、藥物濫用防制課程創意教學活動設計競賽等各類競賽活動強化反毒宣導工作。

以活潑、多樣化方式展現製作宣導光碟、短片、廣播帶等，製作反毒平面文宣，並於各級學校張貼、設置專欄或透過燈箱廣告，或於公共適當之場所進行各式靜態或動態之反毒宣導活動，或是獎助學校及民間團體，辦理青少年育樂活動，減少涉足高危險群場所而接觸毒品。

在二級預防工作上，除對學生實施尿液篩檢抽測外，並將校外聯巡發現出入非法特種場所之學生列為尿篩對象，請各級學校運用「校園學生使用毒品篩檢量表」篩檢高危險群學生，依三級預防措施落實對中輟生、非法出入娛樂場所、高危險群及濫用藥物學生之通報及輔導作為，以提高清查嚇阻效果；當然，在學校及教育人員對反毒認知的不足及家長未能充分配合的情形下，清查篩檢發現有藥物濫用的學生仍是有限的。

二、九十七年五月以後推動「防制毒品進入校園實施策略」

教育部於九十七年考量青少年族群施用新興毒品情況有日益嚴重情形，且據統計顯示藥物濫用學生層級多為十二至十七歲國、高中學生，而所施用之藥物多屬新興毒品，而且由學校通報發現國內學生施用新興毒品之年齡層有向下延伸之趨勢，同時多起案例發現幫派組織伺機以毒品毒害學生身心健康，教育部於九十七年五月九日函頒行政院核定之「防制毒品進入校園實施策略」，就當時青少年毒品問題案例探討供需原因及檢討實務工作上的問題，包括學校教育人員對毒品認知不足（缺乏經驗）、幫派入侵校園，學生擔任藥頭、快速檢驗試劑不符需求、失學未就業青少年施用毒品問題較不被重視、第三、四級毒品對施用者未訂罰則、反毒宣導未能吸引青少年注意以及社會變遷，家庭功能不彰等面向，並藉教育宣導、清查輔導及輔導戒治三級預防架構，積極辦理各項防制學生濫用藥物工作，同時提出防範對策，除採取一般性及加強性措施，訂定三級預防主要工作項目，更結合各縣市政府、各部會業管機關以及教育部相關業管單位共同協力防制工作，採逐年漸次分階段來落實推動，包括在教育宣導方面：加強反毒師資培訓及研發線上學習課程供教師在職進修，讓第一線的老師瞭解毒品的危害並能辨識學生藥物濫用後的行為表徵，進一步及早協助輔導；另外先從國中著手研編分齡適性補充教材，提供課堂上教學的反毒多元資料；並要求中小學每學期於「健康與體育」、高中職「健康與護理」課程中實施一堂課以上反毒教學，增強學生反毒認知；此外也強化社區反毒教育宣導及辦理育樂活動，提高正向教育來建立家長共識，同時加強經濟弱勢學生就學課後輔導，以減少失學；更呼籲相關業管單位加強未升學未就業青少年職業與技藝輔導，使得他們擁有謀生能力，進而遠離受誘惑的毒害環境。

在清查輔導方面：除持續針對高危險群學生進行尿液篩檢外，更加強於連續假日後之臨機檢測工作，希望能及早發現學生藥物濫用，並及早協助給予適當介入與輔導。教育部也請檢警機關主動清查幫派及不良組織，在查獲學生藥物濫用時，通知學校加強輔導，並協助清查背後有否幫派分子以毒品控制，發展組織等情事，以防制幫派進入校園販毒；同時鼓勵廠商研發新興毒品快速檢驗試劑，由教育行政主管機關編列相關經費購置其試劑，提供學校使用，提高清查篩檢成效。如果發現藥物濫用學生，要求學校成立春暉小組，結合家長、訓輔人員、志工等共同輔導個案三個月，如果學生經追蹤輔導無效，則結合地區醫療院所投以治療。若學生輔導中斷離校且情形嚴重者，請毒品危害防制中心的社工進行追輔，提供必要的戒斷協助。

三、各級學校推動拒毒的現況

整體來說，學校依教育部防制學生藥物濫用三級預防工作計畫及防制毒品進入校園實施策略辦理相關三級預防工作，現階段推動現況有明確目標，並逐年顯現執行成效，其工作重點再細說分明：

（一）教育宣導（一級預防）：

1. 落實導師防制學生藥物濫用宣導教育

教育部請法務部及行政院衛生署推薦專家學者組成「反毒宣講團」對學生或教師宣教，共同推動巡迴校園反毒宣導教育，根據以往經驗，學生集體聽講的宣導效果不佳，從九十七年起到校宣導方式由學生集體調整為小班學習（參與人員每場不超過一百人為原則），並透過宣導措施及辦理正當育樂活動，來提升學生與教師的反毒認知；有鑒於導師為中小學執行毒品防制工作最基層同仁，為深化基層教職員反毒教育，教育部從九十七學年度起開始辦理國中導師的反毒知能研習，邀請具實務經驗護理教師及教官擔任講座到校宣教，至九十八年度全國各國中學校導師已全數完成反毒知能研習及增強藥物濫用學生行為表徵異常的辨識能力，而後持續將重點置於高中職進修學校及國小高年級導師反毒知能研習；另外考量老師相關防制知能應不斷強化及獲取知識之方便性，教育部於九十九年九月完成開發「防制學生藥物濫用數位學習教材」九單元十六小時線上課程，期打破時空限制，協助學校每位教師提升自身反毒的知能。

2.研編校園防制藥物濫用分齡教材，符合學校需求，據為授課重點

為提升學習成效，從以往接收行政院衛生署及法務部宣導資料，至

九十六年起教育部著手進行研編分齡教材，以不同學制開發適宜的教材，共同研編國中至大專階段反毒教材，學校則參考教育部研編的反毒教材，高中職以下運用「健康與體育」與「健康與護理」授課，大專校院則於新生訓練時加強反毒教育宣導。

3. 辦理種子師資研習，培育反毒教育人才

為深耕反毒教育，訓練反毒種子教師，教育部自九十六年至九十九年每年辦理各縣市國民中小學「學生藥物濫用防制種子師資培訓研習」活動，再由各縣市政府辦理種子師資後續擴訓活動，至最終落實學生教育宣導，以收反毒教育紮根實效。

4. 傳承防制學生藥物濫用經驗，順利推動各項工作

校園中由生教（輔）組長負責防制學生藥物濫用相關工作，惟其工作量及責任皆非常沉重，人員異動頻繁，為防止業務銜接不能持續，教育部每年持續辦理業務承辦人員（生教組長、生輔組長）專業反毒知能業務

研習，除強調各學年度春暉專案相關重點工作、注意事項及作業流程等，並進行經驗傳承交流，來提升專業反毒知能，使得防制工作推展能事半功倍。

5.積極提升學校教育人員相關反毒知能

考量推動防制學生藥物濫用工作要達到最大效果，非僅限於業務承辦人及教師，尚須學校行政人員的支持，爰自九十七年起針對高中以下學校校長、學務、輔導及導師全面辦理反毒知能研習，後續更增加教務主任與新進及候用人員（校長、主任）參與研習。而為達研習成效，除編製四種示範教材，並針對授課講座召開座談會，使授課內容更切合實際需求，期以多元面向加強宣導藥物濫用對於學生身體健康所造成的危害，促使所有教育人員重視並落實反毒教育宣導工作。

6.製作各式平面及多媒體文宣，並強調多元宣導模式

學校除運用各縣市學生校外會等單位製（轉）發學生濫用藥物宣導

資料，加強防制學生藥物濫用宣導外，也辦理符合現今青年學子思維的網頁設置、部落格設計競賽等反毒宣導，更貼近學生，同時亦鼓勵學生成立「春暉社團」，運用同儕力量對行為偏差學生發揮正面影響力，以提升宣導成效。

7. 辦理校園反毒宣導影片特映活動

教育部以往獲得反毒宣導影片劇情結構較不能撼動人心，無法對青少年引起學習動機，導致反毒宣導成效有限；有鑒於此，特於九十九年結合法務部與慈濟基金會合作攝製更生人戒毒成功真人故事之《逆子》、《破浪而出》等二部反毒宣導影片，因劇中故事確為真人真事，且為真實且戒毒成功之個案，其內容深具反毒、生命、全人教育及教化人心之意涵，教育部研發學習單並要求學校辦理反毒宣導影片特映活動播放，強化反毒宣導建立正確觀念。而教育部於九十九年下半年度特別安排各縣市及大專校院反毒影片特映活動，並邀請部長、三位次長、主任秘書、各縣市教育局處長、各級學校校長、學務主任、輔導主任、老師、學生、志工等共同參與活動一齊觀賞，並由吳部長親自將受贈的反毒宣導影片轉贈學校，教育部補助各縣市及大專校院資源中心辦理計二十六場，共邀請五千一百八十七人出席觀賞。

8.運用防制藥物濫用認知檢測，檢核宣導成效

為提昇學生藥物濫用危害及相關法律常識之正確認知，教育部每學年度實施「藥物濫用危害防制認知測驗」，而為與國際接軌，自九十七年度起委託專家學者大幅修正藥物濫用認知測驗題目，朝向蒐集世界衛生組織等相關資料進行問卷設計，對各級學校學生進行抽樣並進行答題統計分析，瞭解學生在藥物濫用防制認知、行為、及接受相關教育情形，提供學校宣導防制學生藥物濫用之參考。

（二）清查篩檢（二級預防）：

依據教育部校安中心統計資料顯示，學生藥物濫用情況以國中及高

中職階段人數最多，且呈逐年遞增現象，尤其九十七年與九十九年相較，國、高中職校通報個案呈倍數增加（如表二），顯示本部強化學校教育人員防制藥物濫用研習，以及教育人員的努力清查篩檢的成果。

為因應新興毒品入侵校園及對學子之戕害，教育部要求各級學校實施特定人員清查篩檢；並於發現疑似藥物濫用行為異常時，立即實施採尿送驗作業，近年來發現疑似藥物濫用學生、檢警查獲或自行坦承學生有逐年增多趨勢（如表三），其中以施用愷他命為最多，安非他命類次之，學校清查篩檢雖已初見成效，卻也顯示校園藥物濫用的嚴重情形，故教育部針對清查篩檢積極加強以下作為：

1.強化高關懷學生輔導

依「國民中小學中輟學生復學輔導強化策略」將時輟時學學生列入高關懷學生，透過全國國民中小學中輟生通報及復學系統，掌握學生名單，並請學校需對此類學生進行個案列管，列為優先認輔對象。

區分 年度	總人數	12歲以上未滿18歲人數	18歲以上未滿24歲人數
九十七年	53,172	620	3,993
九十八年	48,125	879	4,432
九十九年	48,829	1,245	5,703

表一：違反「毒品危害防制條例」總人數

學制 年度	國小	國中	高中職	大專	合計
九十七年	14	204	585	12	815
九十八年	6	392	902	8	1,308
九十九年	12	435	1099	13	1,559

表二：各級學校通報學生藥物濫用統計表

資料來源：教育部校安中心

區分	一級毒品(海洛因、嗎啡)	二級毒品(安非他命、搖頭丸、大麻)	三級毒品(愷他命、FM2、一粒眠)	四級毒品	其他	合計
九十七年	4	107	702	0	2	815
九十八年	8	151	1,148	0	1	1,308
九十九年	12	282	1,271	0	4	1,559

表三：學生濫用藥物種類一覽表

2.強化建立特定人員名冊觀念，落實尿液篩檢工作

為防制學生藥物濫用教學及處置，教育部為落實尿篩工作及成立春暉小組輔導精進作法，特於九十八年編印《春暉小組輔導工作手冊》及《特定人員（學生）尿液篩檢作業手冊》，並特針對如何清查、掌握高中職新生特定人員提出補充作法，及早發現及早介入輔導。

3.增加新興毒品檢驗項目，並加強尿篩與查察技巧經驗傳承

民國九十六年以前因國內對部分新興毒品（如愷它命）尚無有效且價廉之快速檢驗試劑，為解決此一問題，除請衛生署、經濟部鼓勵廠商研發，並自九十七年起增加愷他命類新興毒品為檢驗項目；另教育人員對學生藥物濫用之辨識知能與查察技巧不足，較無法察覺學生藥物濫用情形，爰全面加強教師辨識與清查藥物濫用學生能力，並要求學校落實通報以進行追蹤管制輔導作為，此種方式使得學校逐漸正視學生藥物濫用問題，通報數大幅增加。

4.運用篩檢量表，並加強校外聯合巡查，疑似個案列入篩檢對象

依研發之毒品篩檢量表（大專組及高中職組）為參考工具，以早期發現藥物濫用學生，此外各縣市學生校外會每月均協調警力配合各級學校訓輔人員實施校外聯合巡查，對在外遊蕩之高關懷學生，採取勸導開單及通報學校列為特定人員進行尿液篩檢。

（三）輔導戒治（三級預防）：

相較以往發現藥物濫用學生即以休、轉學方式使其離校，調整成留校輔導的作法，由學校成立「春暉小組」，落實追蹤輔導效能，避免學生誤入歧途，更進一步增強輔導資源：

1.召募志工及增加協同役男，增強學校輔導資源

因應發現藥物濫用人數逐年增加，學校現有輔導人力與資源已漸無法負擔，九十八年起運用短期促進就業措施提列「藥物濫用防制協同人員」，經過職前訓練後協助學校輔導藥物濫用學生，透過這些協同人員適

時補充校園不足之人力，在輔導過程中也發揮了專業與愛心，表現廣受好評。九十九年起接續規劃推動「春暉認輔志工」計畫，由各縣市或學生校外會召募退休（伍）或現職公教人員、社工人員、愛心媽媽等熱心民眾及具服務熱忱的大專青年，協助輔導濫用藥物之高關懷學生，及早介入輔導與關懷，並協助教育人員輔導行政支援。另外對執行春暉專案初具成效之國中小，適切增撥教育服務役男，協助各項輔導及行政支援工作，以減輕教師工作負荷。

2.強化弱勢家庭學童教育輔導，投入更多資源

為強化弱勢家庭學童教育輔導、推動「夜光天使點燈專案計畫」，結合在地民間資源，提供課後安全、愛與關懷的教育環境及親職（子）教育、代間教育、親子共讀、文化藝術教育、品格教育、生命教育、生涯發展等學習活動，輔助弱勢家庭（低收入戶、單親、失親、隔代教養、家境特殊亟需關懷）學童，使家長無後顧之憂，安心工作。

參、各級學校拒毒未來工作重點

在各種正反訊息充斥與氾濫的多元社會，要如何協助學生能清楚辨識與抉擇，教育部為防制毒品入侵校園，在一級預防教育宣導上，將持續加強要求各級學校加強反毒教育宣導，並賡續辦理學校教育人員反毒知能研習，提升辨識濫用藥物學生之能力，以強化查察篩檢工作。除了強化藥物濫用高危險群的輔導措施，對於沒有吸毒的學生也持續辦理預防性的介入，宣導造成吸毒的危險因子，如：好奇、受不良同儕引誘、參加廟會活動、負面的人際關係、學習落後、出入八大行業場所、家庭功能不彰、特殊社區環境……等，同時增進學生的自我保護技能。如：自我控制、情緒的覺察、溝通技巧、人際關係技能、問題解決、學業（習）支持（補救教學），尤其是日常生活管理。學校也應持續增進學生學習與社交自信之能力與生活態度。如：有效學習方法（記憶力、專注力）、溝通能力、同儕關係、自我肯定（未來感、不依賴或被不良份子誘惑）、拒絕技能（如何應付好奇、衝動、從眾、脅迫）、強化反毒態度、強化反毒決心，同時應加強法治教育，提升學生藥物濫用正確法律觀念，使學生具備法治知能；更重要的是對學校輔導人員藥物濫用防制充能訓練、持續提升有關人員藥物濫用防制相關知能與輔導意願，共同協助需要幫助的青少年。在二、三級預防清查篩檢及輔導戒斷作為上，將協請檢、警、調機關加強查緝校園藥頭，同時請各級學校落實特定人員尿液篩檢工作，發揮清查及嚇阻效果，平時若發現學生有異狀、異樣時，實施臨機尿液篩檢，及時找出藥物濫用學生與介入輔導，由學校成立春暉小組，結合導師、家長、輔導老師、志工及社工人員等共同輔導，落實追蹤輔導，避免學生藥物濫用，並協助藥物濫用學生輔導及轉介藥癮戒治機構治療，落實防制學生藥物濫用三級預防工作，更須結合相關社會網絡資源共同支持，尋求符合青少年需求之宣導與輔導模式，以協助學生回歸正軌。未來工作重點將朝下列方向思考與努力：

（一）持續落實防制學生藥物濫用三級預防工作

對於三級預防工作已初見成效的一級預防教育宣導，仍然應持續辦理學校相關人員防制學生藥物濫用研習，提升正確反毒觀念；同時可提供誘因，引導師資培育機構開設相關選修或必修課程，期使每位準教師在投入教育行列時即具備相關反毒知能，積極配合執行各項防制作為；同時持續開發防制學生藥物濫用分齡教材（包括國小高年級及高中職以上），以利教育人員掌握能提供正確反毒知識，循序漸進導正個案學生偏差觀念與行為；而在校園內更持續強化反毒宣導活動，使學生透過多元活動能具備正確防制藥物濫用知能，遠離毒害。在二級預防清查篩檢方面，持續要求學校積極建立特定人員名冊，不定期及連續假期後實施尿液篩檢，教育部更將持續補助各縣市採購快速試劑經費及送檢驗機構化驗相關費用，增強清查嚇阻效果，以有效降低學生藥物濫用黑數；同時發現藥物濫用學生，要求學校應依兒童及少年福利法確實通報並留校依相關作業規定實施輔導教育，提供相關的協助，以提升輔導戒治之成效。而未來若學校無積極作為者，除列入校長年度考核與續聘之重要參考依據，將對相關失職人員檢討議處，促使學校重視此項工作。

（二）加強學校輔導人力培訓及運用

針對好奇誤用的藥物濫用學生，通常有較大的改變動機，經過學校輔導後多能瞭解藥物濫用的危害，進而可以拒絕毒品的誘惑而不再使用，可是不論是國中及高中職校，輔導人力及缺乏反毒專業知能是無法應付逐年增加的藥物濫用學生，所以，提供更多經過反毒知能研習的學校輔導人力，能有效減輕學校輔導上的負荷。

（三）結合學校春暉志工、協同替代役男，投入更多協同輔導資源

教育部將持續並擴大推動反毒認輔志工計畫，請各縣市招募更多春暉認輔志工或是社福團體愛心志工，及早介入輔導，適時陪伴關懷，更可協

助培養其正當休閒興趣及拒絕技巧，避免因涉足不良場所而誤入歧途。教育部更逐年增加編列經費，提供各縣市培訓志工及個案研討活動及高關懷參訪等多元活動等，使藥物濫用學生能瞭解學校、社會並沒有放棄他們，還有很多人關心他們，能更進一步改變其偏差行為，喚回迷途的心，回歸正途。

（四）擴大與民間團體合作，共同參與防制學生藥物濫用

「政府資源有限、民間力量無窮」，教育部持續推動現有反毒教育工作，落實教育宣導、強化清查篩檢、投入輔導諮商、戒除等工作，以防止毒品戕害青少年，期望能透過整合政府及民間社福團體龐大的反毒力量，運用宗教信仰等方式，並結合社區相關資源及專業醫療、輔導機構，及家庭支持力量共同幫助有藥物濫用情形的學生，共同喚起家庭、社區對藥物濫用防制的重視，以降低其危害，預防再用，協助學生回歸正軌，達成「健康校園」之目標。

（五）規劃建置專業諮詢服務，加強青少年藥物濫用醫療協助整合

教育部將逐年增設中央防制學生藥物濫用專業諮詢團與各縣市防制學生藥物濫用諮詢服務團，邀集醫療、心理諮商、觀護人、社工等專家提供各級學校專業諮詢，或編列經費針對校園複雜個案介入評估並提供輔導戒斷服務。同時期望相關部會能研究青少年二、三級毒品戒癮診療流程之醫療支持系統及輔導諮商，提供處遇計畫及戒斷服務，提供學校、家長及學生的藥癮醫療求助管道；並能適時增加編列預算支應青少年藥癮戒治就醫所需費用，以降低弱勢家庭所面臨的醫療負擔。

（六）請各單位協助提供藥物濫用學生正向活動、輔導醫療等資源

教育部將請各部會協助積極擴大辦理以學校為單位之高關懷學生預防犯罪相關活動，如社區生活營或探索教育活動，使學生面對大自然，參與正向活動，遠離受誘惑的環境；對學校所發現藥物濫用學生，請各縣市持續建構縣市防制學生藥物濫用資源網絡，主動提供需求學校相關資源，協

助家長及學生；並請各衛生醫療單位能提供藥物濫用相關輔導諮詢（包括師資、課程與知能），同時請各縣市毒品危害防制中心提供社工、個案管理師的追蹤輔導與關懷，並提供醫療資源協助與輔導諮商。

（七）請檢警機關加強查緝校園藥頭與協助防阻毒品入侵校園

教育部請各主管機關將販賣毒品或引誘學生施用列為優先查緝重點，並充分運用已規劃建置之協助檢、警緝毒通報模式及單一通報窗口，積極合作查緝校園藥頭，有效防阻毒品進入校園，危害校園莘莘學子。同時請警政機關加強查緝各級毒品及先驅原料走私與掃蕩製毒工廠，以徹底根絕各級毒品製造源頭，根絕毒品氾濫問題。此外，也請相關主管機關研議修法，將供應、販賣毒品予未成年人加重刑責，以遏阻不良組織利用青少年及兒童好奇、單純之性格，滲入校園販售毒品。

肆、結論

反毒的工作沒有假期，如果能夠把懸崖邊的孩子拉回，避免誤入歧途，等於救他一輩子，也幫助整個社會、國家；有鑒於反毒工作除政府單位大力推動外，尚須社會各界全力支持，政府應結合臺灣廣大的民間社福力量，除補助民間團體推動反毒活動，民間社福團體亦積極主動參與，目前早已有多個宗教團體（如基督教晨曦會、主愛之家、淨化基金會……等）加入藥物濫用戒治及防制宣導工作，而慈濟證嚴上人有感於藥物濫用的人年齡層逐漸下降、施用毒品人數逐年增加，不但影響社會各層面，更導致社會問題日益嚴重，乃促其信眾積極投入校園藥物濫用防制宣導等工作，成為臺灣藥物濫用防制工作新的生力軍，相信更能喚起家長、社區的重視，共同為下一代青少年的生活目標提供正確的方向，避免誤入歧途。

身為教育工作者，提供一個優質的教育環境，讓孩子可以快樂學習成長，務求以每一個學生都不能放棄，同時更要挽回迷失的孩子，協助他們走回正途，而這正是教育工作者存在的基本價值之一，校園內推動防制學生藥物濫用工作不是「處罰」、「制裁」，而是「輔導」、「挽救」，期望每位教育工作者，都能以「視生如親」的態度，充分結合學校、家庭、社群、民間社福團體及醫療戒治機構的大眾力量，共同關懷每一位需要協助的學子們，讓他們能儘速遠離毒品的危害，合眾生之力共構一個無毒清新的校園。

國內毒品現況

法務部

一、國內毒品犯罪狀況統計分析：

九十九年按當期鑑定純質淨重統計之毒品查獲量共計三千四百七十八點八公斤，較上年增加百分之八十三。鑑定之各級毒品純質淨重，第一級毒品為八十五點一公斤（以海洛因占多數），第二級毒品兩百七十三點一公斤（以安非他命占多數），第三級毒品兩千六百一十八點五公斤（以愷他命占多數）及第四級毒品五百零二點一公斤（以假麻黃鹼、麻黃鹼占多數）。

九十九年地方法院檢察署執行違反毒品危害防制條例裁判確定有罪人數為三萬五千四百六十人，就性別分，男性占百分之八十六點三，女性占百分之十三點七。就年齡分，以三十至四十歲未滿者占百分之四十四點六最多。就教育程度分，八成皆為中等教育，其中國中程度占百分之四十六、高中程度占百分之三十四點四。就職業分，以技術工、機械設備操作工及組裝工、非技術工及體力工占百分之四十一最多，其次為無業者占百分之三十五點五，服務工作人員及售貨員占百分之十點九。

九十九年底在監毒品犯計二萬四千四百八十人，占在監受刑人五萬七千零八十八人之百分之四十二點九。在監毒品犯中，純施用者一萬四千二百一十三人占百分之五十八點一，製賣運輸兼施用者四百一十二人占百分之一點七，純製賣運輸者八千六百六十人占百分之三十五點四。

九十九年新入所受觀察勒戒人九千五百零一人，較上年八千三百零五人，增加一千一百九十六人或百分之十四點四。同期出所人數九千四百四十五人，其中經判定有繼續施用毒品傾向者一千四百四十九人占百分之十五點三。九十九年新入所受戒治人一千四百七十人，較上年一千九百七十二人，減少五百零二人或百分之二十五點五。同期間完成戒治處分出所者一千七百三十七人，其中免予繼續戒治出所者一千六百八十二人，期滿出所者五十五人。

另外，近來校園毒品犯濫議題時常被關注，依據法務部犯罪狀況及分析引用司法院統計處之資料亦發現，近年來，整體少年犯罪之人數是趨於平穩狀態，九十八、九十九年則呈略為下降之狀態。惟在少年毒品犯罪部分，近五年之人數，不論在毒品刑事案件或保護事件之案件，均呈逐年上升之趨勢。九十九年其犯罪總人數達九百零六人，較九十八年增加兩百八十四人，增幅達百分之四十五點六五。惟相較九十五年之一百七十六人，則大幅增加了七百三十人，增幅更高達百分之四百一十五，增加幅度高達四倍多。九十九年其所占少年犯罪人數總比率亦為近五年來之新高，毒品犯罪又回到少年所有犯罪類型的第二位，僅次於第一位的竊盜罪。可見少年毒品犯罪日益嚴重，政府與社會大眾應該共同來持續關注此一少年之犯罪問題。

再者，依司法院之司法業務年報之統計資料發現，近二年依少年事件處理法第三條第二項之七款少年虞犯行為中，以第六款之「吸食或施打煙毒或麻醉藥品以外之迷幻物品者」者人數居第一位，且少年之年齡亦趨向十六至十八歲之族群，此一現象亦是值得我們要特別提醒關注的部分。

二、我國的毒品政策：

政府於八十二年五月十二日宣示「向毒品宣戰」，並於八十三年二月一日在行政院召開第一次「中央反毒會報」，確立「斷絕供給、減少需求」為我國反毒策略方針，並將反毒分工為「緝毒」、「拒毒」與「戒毒」三組，且以九十四年至九十七年為「全國反毒作戰年」，第二次正式「向毒品宣戰」。

另於九十五年六月二日由行政院蘇貞昌院長召開主持第一次毒品防制會報裁示，將「拒毒」、「戒毒」、「緝毒」三大工作區塊擴大為「防毒」、「拒毒」、「戒毒」、「緝毒」四大工作面向，把反毒戰略警戒線由「拒毒」前推至「防毒」，將管控打擊標的由「毒品」擴展至「有脫法濫用之虞的藥品」及其先驅化學工業原料或製品的管控，加深反毒戰略縱深，並於會報下設「防毒監控組」、「拒毒預防組」、「毒品戒治組」、「緝毒合作組」、「國際參與組」等五分組，研議反毒重大政策方向，提升決策效率，發揮反毒之整體統合力量。

九十八年檢討過去四年反毒政策之利弊得失，將先驅化學工業原料管控及國際反毒策略聯盟等事項納入防制重點工作，另為落實毒品防制工作，自九十五年起各縣市政府亦陸續成立「毒品危害防制中心」，以期結合地方資源與社政、醫療、警政、勞政、教育、司法保護等政府資源之整合，形成完整的毒品防制體系，並將以往中央毒品政策規劃為主軸的分組策略，陸續於九十六年延伸擴大至地方配合層面，以統合中央與地方之反毒網絡及資源。

在政府與全民共同努力下，美國國務院自二〇〇〇年起連續十年將我國排除在毒品轉運國名單，反毒工作已獲致相當成效。但由本部最新的資料顯示，毒品犯罪型態及問題日趨複雜，例如：「累再犯人口比率仍未有減緩趨勢」、「毒品市場需求持續升高」、「用藥型態明顯轉變」、「新興毒品與替代藥物的興起及氾濫」、「毒品犯罪延伸出來的竊盜、詐欺、恐嚇、勒贖、搶奪等危害社會治安案件」、「黑道幫派利用青少年組成藥頭在校園從事販毒事件」、「黑道份子槍毒合流介入毒品市場」、「新興合成毒品與藥物氾濫」、「吸毒人口低齡化趨勢」、「安毒工廠回移臺灣」、「毒品案件再犯、累犯率高」等問題日趨嚴重，這是警訊，也是隱憂，顯示政府在反毒工作方面，仍有相當大的努力空間。

因此，行政院研究發展考核委員會委託專家學者評估研議，提出《毒品防制政策整體規劃報告（九十八年修訂版）》，經行政院吳敦義院長於九十九年二月二日之第四次行政院毒品防制會報中核定，以「首重降低需求，平衡抑制供需」為國家反毒策略，衡平防毒、拒毒、戒毒、緝毒資源配置，提升反毒能量，詳實地勾勒出我國毒品政策整體圖像的新紀元。

三、防制毒品犯罪的立法沿革：

毒品危害防制條例係在八十七年五月二十日公布施行，前身為《戡亂時期肅清煙毒條例》與《肅清煙毒條例》，迄今歷經九十二年七月九日、九十七年四月三十日、九十八年五月二十日及九十九年十一月五日四次修正，歷次修正方向係逐步將對於藥癮者之處遇，由目前具「病人」與「犯人」，即所謂「病犯」雙重身分、強調「治療勝於懲罰」、「醫療先於司法」的觀點，逐漸轉變為「輕罪從輕、重罪從重」的兩極化刑事政策，並對於製造、運輸、販賣各級毒品者予以嚴刑重罰，以遏止毒品氾濫。

四、法務部防制毒品犯罪的具體作為與未來規劃

（一）政策面：建立全民對於藥癮者處遇政策之共識

對於藥癮者之處遇，由目前具「病犯」身分、強調所謂「治療勝於懲

罰」、「醫療先於司法」的觀點，逐漸轉變為兩極化刑事政策。由現行有條件「除刑不除罪」的觀點，參照刑法修正後擴大「前門」策略的罰金刑及替代監禁轉向，「後門」策略提前釋放轉銜服務的司法監管及社區觀護處遇策略，並以「觀察勒戒」戒除身癮、「強治戒治」戒除心癮的觀點，逐步建立以病人模式為主，並在司法監督下發展毒品犯之多元化醫療選擇方案，建立分級與個別化處遇。

相對於毒品戒治必經調適期、心理輔導期與社會適應期，社會大眾對於毒癮者之看法，如何轉向為以「教育矯治」之司法關懷保護或社區處遇模式代替原有「刑罰」之矯治措施，需要時間克服，在有限資源、民眾接受度低、短期內可能造成吸毒者增加的顧慮下，目前立法政策上短期先落實除刑不除罪各項政策，以司法監督毒癮者社區治療為主，對不願參與社區治療或社區治療無效者，施以機構內治療為輔，達到以強制戒治替代刑罰。長期而言，除罪化後面臨龐大醫療、心理復健、追蹤輔導及提供就業機會等需求，需政府帶頭有效整合民間資源，共同防制。

（二）組織面

1.強化地方毒品危害防制中心功能

九十五年六月二日召開之第一次行政院毒品防制會議中，院長裁示由本部協助各縣市政府成立「毒品危害防制中心」，由本部擔任主管機關，建構整合醫療、社政、教育、警政、勞政（就業、職訓）、司法保護等政府機關之溝通平臺，以結合政府與民間力量及統整開發各項資源，形成中央至地方直向與橫向連結之完整毒品防制保護網路。各地毒品危害防制中心自九十六年起開始辦理出監所藥癮者之追蹤輔導業務迄今，提供藥癮者相關醫療戒治、社會扶助、就業（職訓）服務、就學就養及相關反毒宣導等業務，其結合司法、檢察、警察、社會、衛生及教育等資源，從事推動防毒、拒毒、緝毒及戒毒等防制毒品危害之工作，再透過中央與地方政府間合作縱向連結，有效解決目前反毒工作遭遇之困境，其組織之整合與效能之發揮，已大大突破傳統欠缺完整反毒網絡的困境。

國內外文獻及實務報告均顯示，將毒癮者後續轉介至觀護、更生保護及各縣市地方毒品危害防制中心等輔導機關（構）繼續追蹤輔導，透過「機構處遇」轉向為「社區處遇」之方式，加強「追蹤輔導」功能，才能有效戒除施用毒品者之毒癮，降低其再犯率。因此，施用毒品者出監後復歸社會情形，攸關毒癮戒斷之成敗，鑑於目前對於施用毒品者於接受觀察勒戒、強制戒治或刑罰後離開監所之追蹤輔導及後續更生活動仍須補強，才能有效解決再犯率居高不下問題，為使直轄市、縣（市）等地方政府反毒工作得由專責組織執行，立法院於九十九年十一月五日審議通過毒品危害防制條例第二條之一增訂直轄市、縣（市）政府為執行毒品防制工作，應設置專責組織辦理毒品防制教育宣導、關懷訪視輔導、社會救助、保護安置、職業訓練、就業服務、轉介治療、採驗尿液及追蹤管理等事項之相關規定，將可進一步結合中央各相關機關以及地方的力量，有效解決目前反毒工作遭遇之困境。

2.建立第三、四級毒品施用者之圖像資料庫

配合毒品危害防制條例第十一條之一關於無故持有、施用第三、四級毒品之處罰規定，已於九十八年十一月二十日起施行，對於三、四級毒品施用累犯者，由警察機關與本部所管理之毒品成癮者單一窗口服務系統共同建立起國內第三、四級毒品施用者之圖像資料庫，將來視地方毒品危害防制中心人力與預算，逐步將之轉介至「毒品危害防治中心」接受治療並追蹤，避免三、四級毒品新興藥物造成國內藥物濫用防治的重大缺口，以及監控濫用情況採取更積極有效的措施，以避免毒品問題的惡化。

（三）執行面

未來的毒品防制工作，將在上游加強緝毒、防毒與拒毒，以減少毒品新生人口，在中游加強辦理戒毒服務以減少毒品需求，並在下游辦理安置、社會復健工作，以減少毒品所帶來的傷害，重新建構藥癮者認知模式

與生活結構，並改變個人生活方式，以使其戒除藥癮，方能達有效降低再犯率之目標，未來因應對策分述如下：

1. 防毒

強化新興濫用毒品之監測評估，徹底阻絕合法流入非法，建制全面性即時監測系統，加強毒品先驅化學物質與原料藥之管理機制，強化新興合成毒品的緊急或暫時列管機制，統合司法與行政之流向管制，並阻絕合法途徑可能的不當轉讓及流用。

加強原料藥之流向勾稽及實地查核製造及販賣業者，持續進行各族群藥物濫用調查，特別針對青少年族群。並結合刑事司法體系毒品前科資訊，擴大毒品施用通報資訊之統整，包括家庭、校園、中輟生、社區、兒童及少年福利體系、外籍人士、國防體系、替代役男、法醫體系等。

2. 拒毒

為有效減少吸毒新生人口，持續製作宣導教材以及辦理反毒創作競賽活動，透過各種媒體，深入社區、學校，加強全民反毒共識。特別是對教師及家長進行教育，使其認識毒品、瞭解其危害，從而關注周遭青年學子的狀況，以防範毒害於初始。其中具體行動，包括：設計製作預防青少年吸毒與家長求助之宣導短片與海報、以國際化與全方位健康觀念建立反毒專屬網站、製作編訂認識毒品宣導教材廣發運用以及結合名人辦理反毒文章、影片與音樂創作比賽等。而且九十九年起與慈濟基金會合作辦理反毒電影特映會，透過各公私部門與慈濟綿密的組織動員力量，將宣導觸角深入社區、校園，並持續核定補助民間社團，深入社區、學校，辦理反毒等法治教育推廣活動。

3. 緝毒

依據本部所訂頒之「檢察機關排怨計畫」有關加強查緝製造、運輸、販賣毒品案件之項目，將擴大打擊毒品中小盤列入考評項目，要求各地檢察機關與司法警察機關定期全力加強查緝此類毒品犯罪案件，並且強化資金來源、帳戶往來與洗錢管道之清查，沒收販毒集團之不法所得，加強發掘重大毒品犯罪線索，積極偵辦毒品製造案件，達到拔根斷源之目標。針對非法毒品先驅化學物質之走私及進口亦應加強監控、偵辦，一旦檢調機關、衛生署或經濟部查緝疑涉先驅化學品管制藥品原料藥流用案件請求支援時，所有機關能即時予以支援，協助查緝疑涉先驅化學品管制藥品原料藥流用案件，以提升先驅化學品之管制及查緝效率。

同時各緝毒機關持續拓展國際合作並強化兩岸合作關係，尤其以毒品來源國（泰國、越南、菲律賓、馬來西亞、緬甸、大陸）為主軸，達到「拒毒於彼岸」之目的。

4.戒毒

在施用第一級毒品部分，觀察九十八年以來，各地檢察署之實施成效，九十八年全年度各地檢署緩起訴處分實施替代療法人數計一千三百二十四人（占第一級毒品起訴及緩起訴人數一萬四千零三人之百分之九點四五）。九十九年一至十一月各地檢察署以緩起訴處分實施替代療法人數計一千三百九十五人（占第一級毒品起訴及緩起訴人數一萬九百九十九人之百分之十二點六八）。總體而言，雖達成本部年度百分之六之目標，但個別觀察部分地檢署之實施成效仍低於百分之六，尚有努力之空間，故擬提高考核標準至百分之十二，並將執行成效每月評比，進而作為年度機關績效評比及機關人員獎懲、考績、升遷、調動之參考，執行成效不彰者，將要求提具檢討報告及改進措施，以解決施用毒品者，因毒癮無法戒絕而反覆出入監所的問題。

就施用第二級毒品部分，以臺北地檢署試辦第二級毒品戒癮治療經驗為例，九十八年一月至九十九年十一月，因施用第二級毒品遭緩起訴處分者共四百二十四人，遭撤銷緩起訴處分人次共一百三十一人，僅占百分之三十點九，較同期因施用第一級毒品海洛因遭緩起訴處分者之撤銷比率百分之四十三點四為低，顯見如能擴大推行緩起訴處分附命戒癮治療至第二級毒品，其成效應可較目前第一級毒品替代療法為佳，將有助於降低毒品施用者之入監比率。而針對施用第三、四級毒品部分，目前依據毒品危害防制條例第十一條之一規定，係採行政罰鍰及毒品危害防制講習。

又為利出監所之毒癮者回歸社會後，能銜接替代療法治療，並連結社區中之更生保護、觀護與地方毒品危害防制中心之追蹤輔導網絡，減少再犯機率，本部與行政院衛生署規劃選擇雲林監獄及基隆監獄等二處矯正機關試辦美沙冬替代療法，目前已開始正式執行，希望藉由本計畫執行，讓原於社區治療之藥癮個案，能於入監服刑後持續參與替代療法，以增強社區個案接受替代療法之動機；另針對出獄收容人，則於出獄前評估提供美沙冬藥品，配合出獄後各縣市毒品危害防制中心之個案管理機制，輔以生活重建、職業訓練及就業輔導等措施，將能逐漸減少藥癮者對海洛因之依賴、降低健康風險、提高就業率、改善治安隱憂。

此外，毒品犯出所後的社會適應問題，常是再犯毒品的主因，因此如何建構社區導向支持網絡，協助回歸社會，實為重要工作，本部所開辦之「毒品成癮者單一服務窗口」系統，建置個案管理之總歸戶系統，將可提供各地區毒品危害防制中心及各個毒品防制機關關於施用毒品者整合資訊，進行出獄人危險分級管理分析，分析統計毒品案件出獄人再犯類型及再犯時間，給予最高度的關懷輔導，並且引進民間戒毒機構或社福團體，與現行的更生保護體系相連接，復與行政院衛生署、勞委會及內政部建立社會福利、醫療照顧、職業輔導、技能訓練之介接，俾利建立完整、連續之毒品戒治模式。

減害計畫簡介

臺南市政府副市長　顏純左

我於九十三年四月二十一日擔任臺南縣副縣長，開始學習面對各種不同領域的公務，雖然很忙卻非常充實。

九十四年初，涂醒哲老師打電話告知我臺南縣的愛滋病人由九十一年的二十六人成長至九十二年的六十二人，再至九十三年一百四十八人，當我聽到這個數據嚇了一跳，隨即向衛生局拿詳細的資料，包括病人的住址、性別、年齡及感染途徑，我習慣於從統計的數字中找答案，結果一看大部份在歸仁、是男性，由共同注射針頭而引起的。為什麼大部份是歸仁？因為歸仁有監獄及看守所，這些病人因為注射毒品共用針頭引起，我隨即安排進入監獄和這些人聊天，了解其實他們也知道共用針筒的危險性。但因為當時臺灣的愛滋病人還不是非常多，他們認為沒有那麼倒楣，所以抱著僥倖之心，結果不小心感染到了。

回來我隨即思考該如何處理這個現象，我擬定了六個方向：

一、減害計劃：提供清潔安全的針筒給毒癮者，檢警不要跟監。

二、替代療法：用美沙冬及丁基原啡因來取代海洛因，用口服的來取代注射的，用化學合成的來取代天然的，用便宜的來取代昂貴的。

三、大量引進醫師加入減毒、戒毒行列，使得替代療法普遍化、低廉化、福利化。

四、對非法使用麻醉藥品採取以量定罪的方式來管理：純吸毒者罪輕，販賣、製造、運送者罪重，在人性和理想中達到平衡點。

五、成立毒品防制署或防制委員會來整合毒品的預防、處理……等政策。

六、大量引進志工朋友，共同面對這個問題。

在大家的共同努力下，我們看到九十四年十一月一日衛生署開始了減害試辦計劃，於臺南縣、臺北縣、臺北市發放清潔針劑，於桃園實施美沙冬替代法試辦計劃。

臺南縣在三個縣市中成績最為優秀，我們於九十四年十一月一日開始到九十五年六月三十日止，總共發出了三萬兩千零九隻針筒，占全國四萬兩千五百五十九的百分之八十，而臺南縣的愛滋病也由九十三年的一百四十八人占全國百分之九點七三降至九十五年六十七人占全國百分之二點二五，我們花了十二萬元（每隻針筒三點六元），完成了這項計劃（見表一）。

衛生署下令於九十五年七月一日採取臺南縣的模式全國實施，這個有別於過去的反毒政策，鼓勵吸毒者勇敢走出來的政策，使得臺灣的愛滋病患大量減少（見表二），也使得臺灣能脫離愛滋病失控的汙名。

而美沙冬計劃在桃園的成功也使得衛生署計劃在全國推動，比較感動的是臺南地檢署在檢察長朱朝亮帶動下，主動用緩起訴處分金來支持這個行動，衛生署只補助愛滋病人口服美沙冬，而地檢署則補助非愛滋病人，這在全世界是個相當罕見的例子，也因為這個成果，不僅看到愛滋病人的人數急速下降，更使得全國的刑事案件急速下降（見表三）。

澳洲實施減害計劃，每一百個服用美沙冬者每年減少一百二十五件刑事案件，臺灣刑事案件的高峰在九十五年是五十五萬件，當時行政院長蘇貞昌為此發下重誓，治安半年沒改善，他將辭職下臺並退出政壇。自從開始實施替代療法刑事案件急速下降（九十八年度減為三十八萬件），四年共下降了十七萬件，每天服用美沙冬的人是一萬四千人，平均每人每年十二件刑事案件是澳洲的十倍成果，最主要原因是臺灣人口密度是澳洲的兩百倍，國民所得是澳洲的二分之一，而澳洲的毒品價格是臺灣的八分之一，使得兩國的替代療法對於治安的成效有相當大的不同。

展望未來反毒之務仍然充滿許多挑戰，縣市合併後的臺南市政府未來要做的是已經不是過去的反毒、滅毒，而是要從教育、預防著手：

一、我們努力找出學障和犯罪的關係：未來會加重學障者的輔導，尤其是過動症的性向、注意力、情緒控制的輔導。

二、加強家庭教育功能：由家庭面開始做起，預防毒癮著的產生。

三、國中生加強技職專班的推動：由過去一班我們於九十九年推至八班，讓這些在學業上沒有成就的孩子，讓他們提早進入技職體系的探索，在探索中找出自己的興趣，發現生命的亮點，成就自己的一生，由社會資源的破壞者變成為社會資源的創造者。

醫師從政如果能在醫療公共政策上有所成就也是另類的醫師。

縣市合併升格，我繼續擔任市長賴清德醫師的副手，期許兩個醫師的聯手，能令臺灣政壇發光發亮。

縣市＼類別	來訪人次	回收問卷	發出空針數
臺南縣	8,976	1,812	32,009
臺北縣	323	285	8,384
臺北市	262	220	2,166
總計	9,381	2,317	42,559

表一：試辦縣市執行情形（由94年11月1日至95年6月30日）

地區＼年度	91年	92年	93年	94年	95年	96年	97年	98年
全國	772	848	1,521	3,400	2,981	1,938	1,758	1,656
臺南縣	26	60	148	135	67	45	44	40
百分比	3.37%	7.08%	9.73%	3.97%	2.25%	2.32%	2.50%	2.42%
備註	減害計畫實施前				減害計畫實施開始			

表二：減害計畫實施前後臺南縣與全國新增通報愛滋病病毒感染人數比較表

年度	88年	89年	90年	91年	92年	93年	94年	95年	96年	97年	98年
全般刑案	386,241	438,520	490,736	503,389	494,755	522,305	555,109	512,788	491,815	459,354	386,075

表三：我國88年至98年全般刑事案件發生件數

二十一世紀毒品大挑戰：喵喵及新興毒品暴斃事件

臺大醫學院藥理所榮譽教授　蕭水銀
慈濟大學校長、小兒科教授　王本榮
慈濟北區教師聯誼會總幹事　陳乃裕
臺大醫學院生化所榮譽教授　林仁混

一、緣起：

最近幾年來，從歐洲、荷蘭、瑞典、英國以及澳洲、美國等各國，陸續報導，在俱樂部或舞廳，青少年吸食毒品，發生暴斃事件的頻率，比從前高出很多，探究其原因，主凶乃是所謂「新興毒品」，分析亡者檢體，以精密儀器檢測到新的化學毒品，在文獻上，查不到有關該毒品的化學構造、藥理作用或致毒原因，更談不上能找到法規依據，對這些新興毒品的製造、販賣、轉讓及使用者，處以刑責，這就是世界各國，雖都已制定嚴厲法規、處罰各種已知毒品刑責，並依現有毒品的成癮性及危害社會的嚴重性，分門別類共有五等級的毒品刑責法規，然而道高一尺，魔高一丈，許多不肖份子（有些是大學研究所的化學或藥學專家），利用已知毒品如安非他命的化學構造，使用很簡單的化學修飾反應，加入一至二個功能基，就可合成具有短暫欣快感但毒性增強的新興毒品，這些地下化工廠合成不合法的毒品，完全沒有依照現行嚴謹的藥物製造程序、精製分離、純度檢測必須高達百分之九十八至一百。而且在人體使用前，必須更嚴謹的臨床前試驗，即在不同動物作藥效及急慢性致毒測驗，接著再作三階段的臨床試驗，由少數人再增加至多數人的試用，成功證明藥效確實，且副作用小後，才准許在市場上販賣，給人治病使用。瞭解藥物研發過程的嚴格規範，可知地下不合法粗製濫造的新興毒品，肯定不安全，絕不可輕易去嘗試，在俱樂部、舞廳或其他娛樂場所，絕對不可服用來路不明的藥，經過醫師或藥師指定使用的藥物，才安全可靠。

二、喵喵毒品暴斃事件及減毒策略：

臺灣首先檢測到喵喵（Mephedrone）毒品的錠劑是在二〇一〇年四月，而喵喵在二〇〇八年，已開始從中國大陸上海一家地下化工廠製造，輸往歐洲、瑞典、愛爾蘭及奧地利後，再轉售進入英國，首例喵喵暴斃事件發生在二〇〇八年瑞典，接著英國陸續報導，累積的喵喵暴斃事件到二〇一〇年四月已高達二十五例，於是英國政府馬上制定法規，把喵喵及卡西隆（Cathinone）衍生物列管，與安非他命同為第二級毒品，此事件引發英國誤用藥物諮訊審議會（Advisory Council on the Misuse of Drugs, ACMD）強烈抗議，前後已有主委及六位委員辭職。此事件之發生在於公眾不滿於ACMD的操作，不負責任的被政府所影響，造成英國堅持「要有科學證據的理念」，已失去公信心的危機。

喵喵的化學構造類似安非他命（Amphetamine），是一種合成的興奮劑，它是一種植物（Khat）的成份卡西隆（Cathinone）的衍生物，卡西隆的臨床及藥理之研究非常少，只有使用者及醫師的業餘報告，缺乏專業者的科學研究，據報導喵喵的副作用是心悸、幻想、血管收縮，增加焦慮感，並可能引發瘋狂。

喵喵於造成二十五個暴斃案例後，受到英國媒體特別重視及報導，ACMD認為媒體過分喧嚷是造成喵喵增加使用的原因之一。

最近辭職的ACMD委員卡林（Eric Carlin）對於喵喵及卡西隆衍生物被列管為第二級毒品，表示意見，他認為此項之決策，只考慮到化學結構及法律層次的問題，很少考慮到公共衛生的層面及減害策略，另外，ACMD的報告，喵喵禁令之決定，尚缺乏直接證據，證明喵喵直接與暴斃事件有關連。值得警惕的是當主委艾佛森（Iverson）教授，正在ACMD會議中衝出去與內政大臣亞倫・強森（Alan Johnson）會面，決定及時推薦新聞報導時，這份報告仍是未作最後決定的草案，卡林寫道：我們過度受媒體及政府官員的壓力，迅速作此毒品分級的決定。

造成ACMD委員們的另一困擾是，他們認為政府這樣對每種新興毒品制定法規禁令，似乎比他們用心去探索青少年吸毒的動機以及法令對青少年所產生的影響，相對的顯得簡單多了。其實，ACMD另一份影響層面更廣泛的進度報告，是有關青少年喝酒及抽煙的潛在不討好的處置問題，完全被擱置不理，沉靜的埋藏著。過去十二年間，英國政府努力建立的一種堅定的科學基礎，以及促進科學在經濟及社會所扮演的角色，似乎已經因為ACMD發生的事件，顯現政府與科學之間令人失望的關係，政治已使科學遭受汙染，政治已使科學變成政府的支撐謊言，ACMD獨立作業的結果，已呈現醜陋的局面，他們感嘆這種瓦解的局面，等待何時，才能再回復。

由於喵喵事件的暴發，發現新興毒品廣大市場的需求，據報導在中國上海地下化工廠每月生產喵喵兩噸，於是青少年流傳一種錯誤的觀念，由於古柯鹼（Cocaine）、安非他命（Amphetamine）、快樂丸（MDMA）等非法毒品的限制及純度很低（百分之十），所以他們大量轉向合法的喵喵（合法就是安全的錯誤觀念）。因此，在喵喵尚未受到法規制裁前，在英國已嚴重散布到百分之四十一的吸毒者嚐過喵喵。

另外，喵喵在瑞典已於二〇〇八年十二月明定為危險物質，並嚴禁在網路上銷售。可是喵喵卻轉向老鼠會人與人之間的傳售。然後，喵喵在二〇〇九年春季被列為麻醉藥品第二級毒品管制，雖然如此，但在街頭，仍繼續有新的喵喵吸食者出現，更嚴重的是接著喵喵後的替代物，新的喵索凍（Methodrone）已出現，而且在瑞典已造成二個致死的案例，此類新興毒品的衍生物如費飛凍（Flephedrone）又繼續不斷的湧入市場，法規實在已來不及跟得上去制裁，更談不上能夠發揮有效阻遏的力量，去消除這種不斷製造新興毒品的潮流，所謂二十一世紀毒品的大挑戰，儼然已經浮上檯面，全世界已驚覺到事態的嚴重性，嚴厲的法規制裁，顯然已無發揮治本的效果，於是有志之士，開始提倡減害策略，有關減害策略聯盟的重點是：一、以愛及關懷勸導吸毒患，改邪歸正。二、教導毒品的危害知識。三、傳授拒毒的技巧。四、盡量避免監獄勒戒，防患吸毒及販毒大本營。五、發揮人本主義。六、協助及輔導戒毒患謀生技能。

三、喵喵及新興毒品化學構造的比較：

多巴胺、安非他命類及喵喵毒品的化學構造如圖一所示，以苯乙胺（phenylethylamine, PEA）為基本化學結構，在苯環六個碳上的氫，以不同功能基取代，或／加側鏈乙胺之 $-\overset{\alpha}{\mathrm{CH}}-\overset{\beta}{\mathrm{CH}}-\mathrm{NH}$ 之β-C, α-C或／加乙之H以不同功能基取代後，可合成各種不同的化合物。人體內三種不同的神經化學傳遞物質（epinephrine, norepinephrine及dopamine），在苯環上均具有3-OH及4-OH，總稱為兒茶胺（catecholamines）（圖一），人工合成的amphetamine是α-CH3-PEA, methamphetamine則是α-CH3-N-CH3-PEA（圖二），依此類推，可合成各種不同的新興安非他命類毒品如MDMA（快樂丸），PMA及PMMA（圖三）。另外，在phenisopropylamine（PIA）或PEA之苯環上，加功能基2,6-dimethoxy及X分別以I, Br, NO2, CH3代入，已合成十種不同的新興毒品（圖四），再進一步，改變dimethoxy之位置或改變Br之位置，又合成其他不同的毒品（圖五）。至於最新合成的喵喵及其他卡西隆（cathidrone）衍生物，則是β-keto-amphetamine類之毒品（圖一及圖六），喵喵（mephedrone）乃是4-methyl-β-keto-methamphetamine, Methylone則是β-keto-MDMA。

綜合以上苯烷胺類（phenylalkylamines）之衍生物，分為二大系列，即苯異丙胺類（phenylisopropylamines, PIA）及苯乙胺類（phenylethylamines），本系列的人工合成毒品，統稱為新興安非他命類毒品，因合成原料易取，合成方法簡單，又具有藥效強的多重藥理性質，因此，將成為人類二十一世紀最主要毒品的大挑戰，化學家A. Shulgin等所著之書《PiHKAL, Phenethylamines I have known and loved: A Chemical Love Story》，詳細描述一百七十九種苯環取代的苯乙胺毒品的合成方法及實際人體試驗結果，在網際網路就可獲取這些新型的苯乙胺毒品的合成方法，預測將來必有更多地下化學家合成更多類似此類的毒品（designer drugs）。

四、喵喵及新興毒品的藥理性質及毒害：

安非他命是一種獨特的小分子，化學構造式雖簡單，但對腦神經作用非常強烈，而且產生非常複雜的藥理作用，它口服吸收良好，刺激中樞神經系統，產生興奮、提神、忘憂、加強自信心、行動敏捷，日軍於第二次世界大戰，用安非他命，提高夜間行軍士氣，但短暫的興奮刺激作用後，藥物經代謝排出體外、藥理作用消失，接踵而來的是身體的代償作用，極端疲勞睏盹、抑鬱不樂，想要再繼續服用的念頭，揮之不去，若手邊有安非他命，一定會情不自禁繼續服用，直至用完為止，這種成癮性強烈的類似興奮性毒品包括甲基安非他命，快樂丸及古柯鹼，都會產生相似的多種複雜的藥理作用，因為這些毒品在不同劑量，會陸續破壞腦神經心智網路的協調性，可分別對各種不同的神經化學傳遞物質（neurotransmitters包括多巴胺dopaminje）、西羅陀尼（serotonin 5HT）、去甲基腎上腺素（norepinephrine）及麩胺酸（glutamate）等之轉運體（transporter）抑制或刺激其釋放或直接對其受體作用的結果，而產生興奮作用，但長期及大量服用毒品後，這些腦神經心智網路遭受破壞，導致心智活動（喜怒、哀樂、情感、思考、學習記憶、認知及人性）不正常，雖明知毒品已不再是第一次服用那麼美好的感覺，反而會產生不愉快的痛苦，但強迫性非要不可的手段，已非自己所能控制的狀況。

安非他命類毒品之化學構造簡單，如圖一、圖四及圖五所示，以安非他命分子構造為主體，變化功能基的種類及位置，估計可合成三百種以上的興奮劑，由於此類新興毒品，尚未訂定法規嚴禁製造及使用，因此粗製濫造且不純的毒品流傳網路銷售，令無知的吸毒患，已缺乏認清辨識的能力，很容易被誘惑去濫用這些比快樂丸更毒而欣快感及興奮作用遠不如的毒品，在荷蘭俱樂部查到的毒品，雖然錠劑形狀及標記完全與原本快樂丸一樣，但快樂丸成份已暗中完全被毒性更大的新興毒品取代了，因此造成暴斃事件的頻率，層出不窮。

喵喵的藥理作用，尚未完全瞭解，據報導它的作用介於安非他命、古柯鹼及快樂丸之間，當喵喵在服用過二十至三十分鐘後產生藥理作用，興奮欣快後，引發劇烈還要繼續服用的慾望，於是再多服用二顆錠劑，就過量，造成嚴重的血管收縮、心律不整及心臟病發作而暴斃，另外，長期大量服用喵喵的毒性包括抽筋、全身性疼痛、頭重腳輕、皮膚褪色等等。與喵喵同屬卡西隆衍生物的喵塞隆（methylon，圖五），已證明不但能抑制多巴胺、西羅陀尼及去甲基腎上腺素在神經末梢的再攝取（reuptake），而且可促進西羅陀尼及去甲基腎上腺素之釋放，由此可見其藥理作用的多重性及複雜性，更有進者，其他新興毒品如2C-B（圖四）具有強烈的幻覺作用，成癮性比甲基安非他命強很多，依原本的許多研究證據建立，產生幻覺作用的理論基礎是對5HT2受體作用，促使前額腦神經（prefrontal cortex）之麩胺酸NMDA受體調控的知覺、情感、認知、運動及學習記憶等等之心智活動有所影響，結果產生幻覺，原來已知的各種幻覺藥物（hallucinogens）如蘑菇素（mescaline，圖四）、psilocybin, DOM及MDMA等等，均對5HT2受體具有高親和力的作用，並與其產生幻覺作用成正比例相關性，而且5HT2受體拮抗劑Ritanserin可有效抑制這些毒品的幻覺作用。但最近實驗證明新興毒品2C-B之幻覺作用並不是來自對5HT2受體作用而來，相反的，2C-B及2C-J均是5HT2受體的拮抗物，這些研究結果，說明新興毒品的藥理作用非常複雜，而且作用機理更複雜，原本這些尚屬於研究階段的化合物，受限於現行藥物及毒品法規，已產生一種意料不到的嚴重後果，無法及時積極的揭露它們的藥理及毒理作用，尤其是它們的真實用途及毒害，毫無相關資訊可查得。另外，一般常規的警語是使用任何精神科用藥，務必小心有被起訴的危機，如今面臨的大挑戰在於毒品問題的產生，危害的評估以及立法反應之間，所產生的協調性問題，試問面臨毒品引發的世紀大考驗，是否應考慮回歸到人本主義的精神，謀求解決。

有關喵喵及新興毒品的代謝研究如圖七所示，喵喵經N-去甲基（N-demethylation，圖上所示Nos. 2-4, 6）變成一級胺（primary amine），β-keto經還原作用變成醇基（圖七Nos. 3.4及5所示），以及tolyl被氧化變成醇基（圖七Nos. 6及7所示），尿液中含最多的代謝物是No.6及No.7經glucuronidase及sulfatase作用，分別變成glucuronides及／或sulfates後，自尿液排泄體外。依此類推，2C-B在肝臟經monoamine oxidase（MAO）及cytochrome p-450代謝，經去胺基（deamination）成醛基，再還原成醇基或氧化成羥基（carboxylic acid）後之代謝物，自尿液排出，另外途徑是經由O-去甲基（O-demethylation）及胺基乙羥化（acetylation），變成O-demethyl-N-acetyl代謝物，自尿液排出，因此，檢驗吸毒患之尿液，經精密儀器氣湘層析——質譜儀（GC-MS）及系統毒理分析技術（systemic toxicological analysis），均有辦法查出新興毒品的代謝物。

五、喵喵併用海洛因暴斃事件：

毒品世界的高手，何其多？當毒品種類可由簡單的化學反應獲得上百種具有興奮性及幻覺的新毒品，顯然已令藥理及毒理學界的科學家疲於研究，更令政府單位法學界努力制定法規，嚴懲不法的毒品製造、販賣及使用。複雜事件又陸續出現，幾年前，開始發現俱樂部吸毒患的尿液所含之毒品代謝物，非常複雜，追根究底，發現約有百分之五十以上，併用二種以上的毒品，最常見的併用如安非他命類併用嗎啡或鎮靜劑

（flunitrazepam一粒眠或GHB），古可鹼併用海洛因或喝酒等等，這種併用毒品的策略，或許來自藏鏡人藥理高手，已知作用機理不同的藥物，併用後，產生藥理作用具有互相增強的效果，不同種類的毒品併用，或許有增強其藥理作用，但有關其併用所產生新的藥理作用全貌及致毒作用的機轉，可能與單用完全不同，因此遇到併用毒品的中毒案件，在醫院、醫師強救吸毒患的策略可能完全不同，一切都得重新研究，才有科學根據，徹底瞭解併用毒品後，在人體產生的藥理及毒理作用，由此可知青少年在俱樂部使用來路不明的毒品，可能是不知名的新興毒品，或有攙雜併用其他種類的毒品，貿然服用，可能只獲得短暫的爽快，接著劇烈的毒性發作，喪失寶貴的生命，這種現象，務必宣導警覺。

喵喵經由網路以植物產品銷售，不但銷路大，而且單用或併用，皆已陸續曝光，美國首例發生喵喵併用海洛因暴斃事件，是發現一位二十二歲男性年青白人，躺在住宿處，已無生命症象，在急救醫院抽取血液及尿液分析，由GC-MS圖譜，明顯偵測到海洛因代謝物、嗎啡等等，而且在血中及尿液中，也均能偵測到喵喵濃度分別為零點五及每公升一百九十八克，另外，該死者的室友證實那天清早，給死者喵喵併用海洛因致死，但因其室友也一起使用毒品，卻安然無恙，可見毒品的毒性，個別差異性很大。

六、減毒策略，大愛無毒：

科學及醫學的研究，目的在於增進人類幸福及健康，當今唯物主義遠勝過唯心主義的社會，物質的繁榮造成社會的競爭、鈎心鬥角、無情無義，苦悶的生活，導致人們渴求解脫現實，嚮往羽化登仙的夢幻世界，因此毒品的風行，擋不住這種潮流，另外，重利薄情的情操下，有心人士，不惜投入其專業的科學及醫學知識，發展新興毒品及企業化網路銷售，加上安全的謊言，誘惑無知的青少年毫無戒備的投入毒窖裡。總觀二十一世紀的毒品大挑戰，似乎再嚴苛的法規，也無法禁止毒品的猖狂，因此，回溯最基本的吸毒潮流的緣由，應是提升人本主義，重視人們之間的親情、友情及關懷，唯有發揮大愛的精神，才能達到無毒的境界，慈濟大學王本榮校長及慈濟功德會陳乃裕共同努力策劃「無毒有我，有我無毒」的活動，帶動全省慈濟功德會的教師聯誼會師親種子，努力演習及宣導有關毒品的知識，在法務部、教育部及其他相關各機關部會的聯合努力，期待對無辜的青少年在預防吸毒及戒治毒患的難題，謀求及實現大愛無毒的境界。

七、參考文獻：

1.Morris K., UK places generic ban on mephedrone drug family, Lancet. 2010 Apr 17;375（9723）: 1333-4.

2.A collapse in integrity of scientific advice in the UK., Lancet. 2010 Apr 17;375（9723）: 1319.

3.Meyer MR, Wilhelm J, Peters FT, Maurer HH., Beta-keto amphetamines: studies on the metabolism of the designer drug mephedrone and toxicological detection of mephedrone, butylone, and methylone in urine using gas chromatography-mass spectrometry. Anal bioanal Chem. 2010 Mar 25. 397, 1225-1233.

4.Meyer MR, Maurer HH., Metabolism of designer drugs of abuse: an updated review, Curr Drug Metab. 2010 Jun 1;11（5）: 468-82.

5.Dickson AJ, Vorce SP, Levine B, Past MR., Multiple-drug toxicity caused by the coadministration of 4-methylmethcathinone （mephedrone） and heroin, J Anal Toxicol. 2010;34（3）: 162-8.

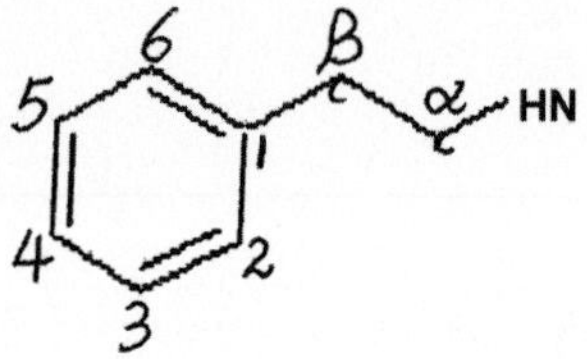

	苯環	β	α	N
Phenylethylamine		H	H	H
Epinephrine	3-OH, 4-OH	OH	H	CH_3
Norepinephrine	3-OH, 4-OH	OH	H	H
Dopamine（多巴胺）	3-OH, 4-OH	H	H	H
Amphetamine（安非他命）		H	CH_3	H
Methamphetamine		H	CH_3	CH_3
Ephedrine		OH	CH_3	CH_3
MDMA（快樂丸）	3,4-methylene-dioxy	H	CH_3	CH_3
PMA	4-methoxy	H	CH_3	H
PMMA	4-methoxy	H	CH_3	CH_3
Mephedrone（喵喵）	4-methoxy	=O	CH_3	CH_3
Methylone	3,4-methylene-dioxy	=O	CH_3	CH_3

圖一、多巴胺、安非他命類及喵喵毒品的化學構造

甲基安非他命類化學構造：

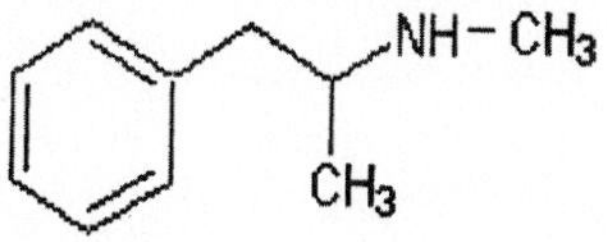

$NH-CH_3$

CH_3

圖二、Methamphetamine

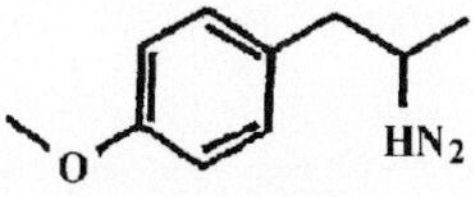

HN_2 PMA

HN PMMA

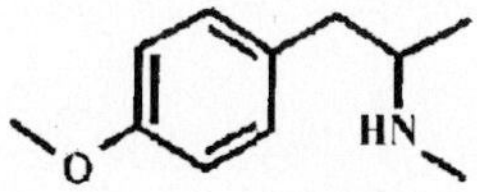

圖三、新興安非他命類化學構造

X	PEA（R=H）	PIA（R=CH3）
I	2C-I	DOI
Br	2C-B	DOB
NO2	2C-N	DON
CH3	2C-D	DOM
H	2C-H	2,5-DMA

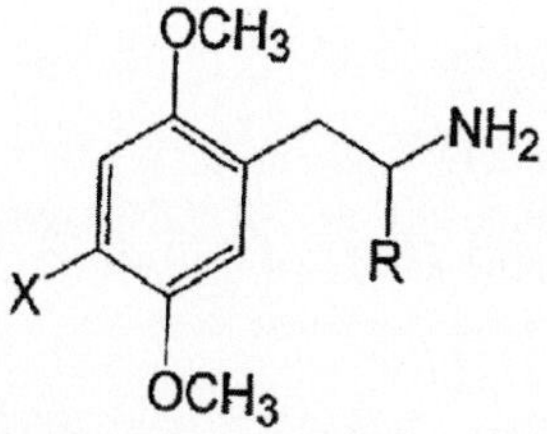

OCH_3 NH_2 X R OCH_3

圖四、苯異丙烷胺（Phenisopropylamine, PIA）及苯乙烷胺（Phenethylamine, PEA）成對之各種新興安非他命類毒品的化學構造

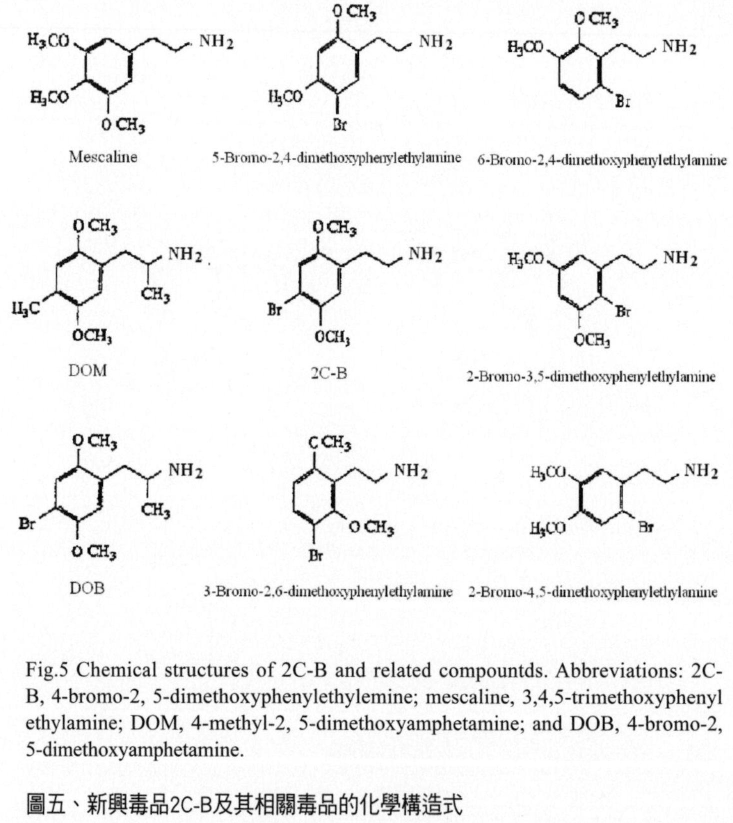

Mescaline

5-Bromo-2,4-dimethoxyphenylethylamine

6-Bromo-2,4-dimethoxyphenylethylamine

DOM

2C-B

2-Bromo-3,5-dimethoxyphenylethylamine

DOB

3-Bromo-2,6-dimethoxyphenylethylamine

2-Bromo-4,5-dimethoxyphenylethylamine

Fig.5 Chemical structures of 2C-B and related compountds. Abbreviations: 2C-B, 4-bromo-2, 5-dimethoxyphenylethylemine; mescaline, 3,4,5-trimethoxyphenyl ethylamine; DOM, 4-methyl-2, 5-dimethoxyamphetamine; and DOB, 4-bromo-2, 5-dimethoxyamphetamine.

圖五、新興毒品2C-B及其相關毒品的化學構造式

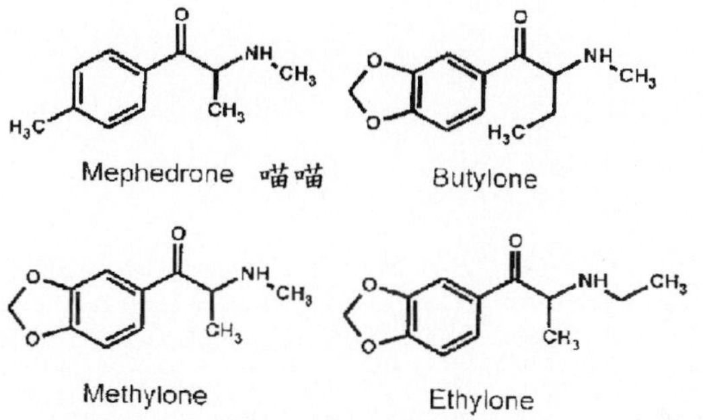

Mephedrone 喵喵

Butylone

Methylone

Ethylone

Fig.6 Chemical structures of beta-keto-type designer drugs

圖六、喵喵及其他卡西隆衍生物之化學構造

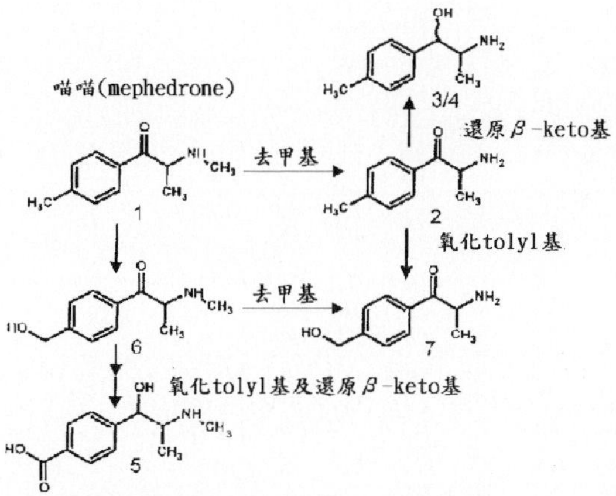

喵喵(mephedrone)

去甲基

還原β-keto基

氧化tolyl基

去甲基

氧化tolyl基及還原β-keto基

Fig.7 Propsed scheme for the phase I metabolism of mephedrone in rats and humans. Metabolite no. 5 could only be detected in human urine samples.

圖七、喵喵在大鼠及人類體內之代謝反應

Anal. Bioanal Chem. 397, 1225-1233, 2010

毒品研究新進展及戒毒村的願景

蕭水銀
王本榮
陳乃裕
林仁混

「無毒有我」活動由王本榮校長及陳乃裕師兄策劃及推動，自九十八年十一月一日起至今，已在臺灣全省慈濟教師聯誼會舉辦「認識毒品種子師親培訓研討會」，同時編輯各種毒品相關教材，配合適用於中、小學及社區活動之用，這一路用心走來，已有三十二萬人次參加「無毒有我」活動，最難能可貴的是受到法務部及教育部的肯定及熱烈協同舉辦，令人欣慰，尤其是慈濟大愛電視臺拍攝戒毒成功的《逆子》及《破浪而出》的精彩感人事跡，令我重覆看過幾次後，都有不同的感佩心弦及百感交集的時刻，雖然在學校開課宣導毒品的危害及作用機轉，已有幾十年，所得效果，不如此二片精彩影片所描述的，令人感受到毒品如妖魔般，傷害吸毒患身心靈的深處，永不逃生的嚴重後果，面對這種毒品氾濫的現實社會，我們站在醫藥研究者及社會工作者的崗位上，應深思如何盡薄棉之力，去拯救那些無辜陷入毒品的受害者！

要預防青少年吸毒，必須從家庭、學校及社會教育作起，認識毒品，範圍很廣，在此提供一些毒品研究的新進展，感謝管制藥品管理局熱心推動這些研究，並給我們研究毒品的資助。另一方面，許多青少年因好奇心去嘗試毒品，沒想到染上毒品成癮不歸路，心癮如影隨形，無法自拔，雖然九成以上的吸毒患，都有心戒毒，但痛不欲生的戒斷症候群及心癮復發，結果戒毒成功率小於一成，因此，有關戒斷藥物及戒毒策略是目前刻不容緩的課題，在此提供有關國內外戒毒策略及戒毒村的願景構想，以便指引我們今後「無毒有我」活動作得更好的方向，一同前進。我們要感謝時任法務部矯正司黃徵男司長（九十五年，現已高升）贈送的大作《犯罪學》，提供寶貴的戒毒策略。

壹、新興濫用藥物成癮性之研究：

俱樂部毒品（club drugs）：如2C-B, 2C-C, 2C-I, AMT, Nimetazepam, PMMA（p-methoxy-methamphetamine）及PMA（p-methoxy-amphetamine）等等之濫用性及社會危害性之相關文獻蒐集及彙整。

急性毒性（Acute toxicity），慢性毒性（Chronic toxicity），成癮性（Addidtion）及成癮作用機理（action mechanism）之研究。

貳、國內濫用藥物之毒性探討：

以新科技工具及方法，持續研究毒品毒性，更新濫用藥物毒害之實驗資料，以供管制藥品管理局業務運用，檢警司法函詢，並作為納入防制宣導教材及文宣品製作運用。

參、多種毒品併用之藥理及毒理之研究：

一、解析多重濫用藥物併用之原因，其交互作用，毒性大小以及作用機轉。

二、瞭解多重毒品併用是否造成其成癮性，依賴性或行為改變及腦部變化之加乘作用。

三、利用毒理、病理及遺傳學等相關研究，瞭解多重毒品併用之毒性作用機制及交互作用機轉，提供毒品濫用防制及政策之參考。

四、研訂管制藥品毒性評估的可行性指標及毒性檢測方法，以作為濫用藥物及其併用產生交互作用之毒性評估模式，進而作為管制藥品分級應用，以及其可能作用機轉，開發有效的治療方式。

肆、藥癮處置模式及成效評估之相關研究：

一、美沙冬及丁基原啡因替代療法成效之比較研究。

1. 持續治療比例及留置率（retention rate）
2. 尿液檢測非法使用類鴉片（Opioid use）
3. 自我藥物使用報告
4. 全球性功效之評估（Global Assessment of Functionality, GAF）
5. 危險行為的改變
6. 傳染疾病（愛滋病）的感染情形
7. 整體社會成本分析及效益評估
8. 工作就業情形
9. 毒患再犯罪行為的改變
10. 生活品質的改善

11.迅速蒐集比較國際間及我國減害計劃執行替代療法藥物成效

伍、瞭解國內藥癮戒治體系運作及策略執行現況與成效評估之研究：

一、毒品檢驗科技

二、毒品防制之流行病學與預防介入研究

三、毒品之毒性研究

1.多重毒品檢驗及毒性分析

2.安非他命類毒性研究資料彙整

3.安眠鎮靜藥物毒性研究資料彙整

四、藥癮處置模式及成效評估之研究：美沙冬及丁基原啡因替代療法成效之比較研究

五、國內藥癮戒治策略與成效評估：

六、宗教醫療、矯治觀護系統等戒治策略及成效評估

陸、藥癮處置模式：

一、戒絕戒斷症候群（Abstinence）

二、替代療性（Substitution treatment）

三、戒毒村（Therapeutic community）

1.協助成癮者，免除毒品之控制，回歸社會，發揮社會功能。

2.發展多元化司法及社區之毒品分級，處遇模式或藥物處置法庭（drug treatment court）。

3.在司法機關監督下，結合矯正、觀護、輔導、心理、社工、醫療及民間機構等專業人員提供適切的戒治模式，進而發展不同密集程度觀護監督的病患性犯人之藥癮矯治。

柒、吸毒病患戒治模式之理論：

一、道德模式：因意志薄弱、性格惡劣所致，主張強迫的懲罪方式，宗教教誨、宗教力量之責難、體罰及監禁、隔離等預防再吸毒。

二、疾病／醫療模式：毒犯成癮之原因不明，有效袪除當下生理的困難，運用醫療治療方式，戒除其毒癮。

三、自療模式：毒癮為袪除其精神不舒服或心理功能失衡後所產生之症狀。病犯患精神、病理異常，強調以生物或遺傳的異常將需透過精神治療與精神藥物來解除毒品依賴的問題，以增強自我控制的能力。

四、整合生物心理社會模式：成癮是多元性、交互作用如生理心理與社會行等等因素交互作成。生理因素如個體的遺傳性、家庭環境、病理環境及戒斷症候的依賴性、器官性後遺症整合生物、藥理、心理、環境、社會層面的一種相互合作且相互依賴的多元方式，包括警政、司法、矯正、社會、醫療等體系整合起來，共同幫助吸毒病患達成戒毒之目的。

捌、我國戒癮模式

臺南監獄明德戒治分監，「戒毒村模式」於八十三年十二月完成，再犯因「心癮難戒」，惟在戒毒村環境下，進行心理、宗教、勞作、運動等，多元化治療及復健，比較容易達成心癮戒治目的，八十二年政府宣告向「毒品宣戰」。

戒毒課程（三到六月）：

一、體能訓練：培養信心、耐力、及毅力，重新適應社會生活之主要條件。

二、勞動作業：改變好吃懶作，好逸惡勞習慣，養成勤勞習慣。

三、教育：灌輸生活基本知識、生活禮儀、道德觀念、陶冶品性。

四、經驗分享：NA計劃（narcotics anonymous program），運用戒毒成功者現身說法，來引導、關心及照顧戒毒者，並透過其本身經驗成為戒毒者之範例及榜樣。

五、技術訓練：養成一技之長，以利今後謀生技能，不致因失業而再陷入毒癮世界深淵。

六、宗教教誨

七、家庭治療

八、自治會議

九、自我肯定訓練

十、休閒輔導

十一、團體輔導

玖、美國戒癮模式：對毒犯戒治政策分三期：

第一期：一九六〇至一九八〇，採取醫療模式，透過「生涯輔導」、「心理輔導」、「戒癮治療」、「醫療服務」、「職業與居家安置輔導」

等之執行，幫助吸毒患重回社會。

第二期：一九八〇至一九九〇，美國毒犯因越戰後變多，使雷根總統「向毒品宣戰」，全力圍剿南美洲毒品侵入，對毒犯採以更嚴厲的刑罰制裁，判以重刑，「以犯罪人」看待，不再以「病人」對待。

第三期：一九九〇起把毒犯視為「病人」，從學習模式出發，要求毒犯力行改變自己的不良習慣，強化自我控制能力，進而戒除毒癮，另外，刑事司法體系結合醫療院所的戒治，宗教團體的戒治以及觀護體系的追縱，輔導納入戒毒矯治工作體系，提供毒患戒除毒癮之機會。

拾、日本模式：

以毒犯為犯罪人，因個人行為不當引起，應施以懲罪、藥癮治療分三期「導入期」、「斷癮期」、「追蹤期」，日本建立「社區處遇之地域網路模式」，即警察署（暫時保護）、保健所（指導訪問）、精神病院（驗尿）、福祉事務所及職業安定所等提供生活之幫助與輔導，以防止再犯，成效極佳，值得參考。

結論：

總合以上論述，我們想「無毒有我」活動最大的意義是以「愛及人本主義」為出發點。

重點在「無毒」，與反毒有所不同，實現無毒境界的策略歸納如下：

一、預防青年少吸毒：

1.我們重視宣導毒品毒害健康的本質。

2.對於有吸毒傾向的青少年（由基因遺傳、發育及生長環境的影響，先天及後天培養的個性）特別輔導。

3.特別對功課不好及中輟生，不懲罰。瞭解他們性向及優點（如運動、才藝）加以輔導及發揮。加強他們自尊心及自信心。

二、輔導戒毒

據統計戒毒很難，約百分之九十以上不成功。探究戒毒不成功的因素，包括：心癮引發、親情薄弱、謀生問題等。要突破此三大難題的策略：

1. 瞭解毒品對腦神經的毒害，加強修復腦神經的方法，如藥物及飲食，這方面我們正在研究中。
2. 親情及撫慰。已有科學證明感動的情緒，促進腦神經多巴胺及5HTetc釋放，可緩解毒品的毒害。
3. 激發毒患本身內在的修復能力，音樂、才藝、運動、情緒釋放，也都肯定能調整腦神經功能，趨向恢復正常。
4. 信仰及祈禱，效果一樣好或更好。
5. 毒患同儕互相勉勵，尤其借助戒毒成功的人作典範，特別有效。
6. 培育積極人生觀，不怕吃苦，就業成功。

7. 其他。

綜合以上各項策略，多管齊下，必須堅毅耐心，同心協力，長期奮鬥才能成功。

慈濟基金會的偉大，在於堅持「博愛及淨化人心」理念，已有四十六年的經驗，深信在防治吸毒領域，發揮愛心，「大愛無毒」一定能成功。

無毒有我的教育觀點

王本榮

毒品氾濫與藥物濫用已經是席捲全球的問題，成為全球化的精神刺激革命（psychoactive revolution）。在臺灣，它同樣無孔不入，無處不在；黑白不分，大小通吃，上下其手，無論老少地侵蝕社會每個角落，每個階層。在充滿比較、計較、苦悶、迷惘、孤獨、不安的社會中，以精神刺激藥物尋求短暫的快樂與解放來逃避現實，往往是接觸毒品的契機。而吸毒不但會造成個人之殘害，也會造成家庭的破碎，甚至治安的惡化與愛滋的蔓延。意志薄弱，心理空虛的人往往無法抗拒誘惑而加速沉淪。隨著製藥工業之進步，更強烈且更難檢測的藥物會接踵出現，誘惑的力量也會節節升高。誠如宋儒程頤所說：「誘惑如毒藥，使人失去自我，害人害己，一念之欲不能制，禍流於滔天」。

人類大腦重量只有一千四百公克，但其結構之精密浩繁比廣瀚無垠的宇宙還複雜，大腦擁有千億個神經細胞（neurons），並有十至二十倍稱為神經膠細胞（glia）的支持細胞，在最高峰時甚至擁有可達千兆個突觸（synapse）的聯結網路。人類腦中可能有上百種神經傳導物質（neurotransmitters），有許多是神經胜肽（neuropeptide），但只有七種被證實與認知功能有關，包括乙醯膽鹼（acetylcholine），新腎上腺素（norepinephrine），多巴胺（dopamine）、血清素（serotonin）、腦內啡（endophines）、伽馬胺基丁酸（GABA）及麩胺酸（glutamate）。不同種類的神經細胞會分泌不同的神經傳導物質來輸送不同的情緒感覺，控制精神、生理、記憶與學習。基因與環境對於這種流動於心智的河流都有舉足輕重的影響。

夏伯特（Chabot）在其著作《快樂的智慧》曾探討腦中所謂快樂、不快樂及行為抑制作用三種迴路。而其中最攸關成癮的無疑是快樂迴路（又稱為報償迴路），此迴路是一九五四年加拿大麥基爾大學（McGill University）的歐茲（James Olds）教授及其研究生米爾納（Peter Milner）無意中發現的。而毒癮產生與這條迴路位於中腦邊緣系統（mesolimbic system）的腹側背蓋區（Ventral tegmental area）與伏隔核（nucleus accumbens）的多巴胺大量釋放有關，能傳達至前額葉皮質區（prefontal cortex），並強迫海馬迴記憶形成。而不快樂迴路遍及全腦，利用乙醯膽鹼作為神經傳導物質，當此迴路被活化時，逃避行為同時被激發，並可能產生侵略行為，教育背景和生活經驗可以決定一個人面對不快樂的反應方式。而行為抑制系統是在不快樂的情況下，再將上先前被教育訓練「必需克制」的記憶，使我們暫時維持在不活動之狀態，下視丘—腦下垂體—腎上腺素這條軸線與自主神經系統對行為抑制作用扮演重要角色，在此過程中，乙醯膽鹼與血清素是被活化的。吸毒者所使用之精神藥物（psychotrope），無論是興奮劑（如安非他命、古柯鹼、快克）、鎮定劑（如鴉片類、酒精），干擾劑（如大麻、LSD、MDMA搖頭丸），其作用在直接刺激快樂迴路，或間接抑制不快樂迴路，以達到快樂的動機及目的。

從這樣的觀點視之，吸毒者是無法感受真正快樂的不適應者，其共同之人格特質包括焦慮、無安全感、情緒不穩定、防禦心過重、缺乏想像力、注意力不集中，甚至有自殘或無法控制的衝動及侵略行為。人類有兩種根深蒂固的本質，即慣性及惰性；既容易沉溺於過去美好的時光，對未來也常有不切實際的幻想，而毒品正好乘虛而入，滿足這兩種特質，使吸毒者不斷的在追求虛幻的快感，身陷不真實的世界。基本上無論是讓人類存活或延續的食色性也，或者所有會讓人成癮的事物，如酒精、尼古丁、咖啡因、甚至電玩、賭博、購物、高風險的生活，都能提升報償中心伏隔核的多巴胺濃度。但只有毒品會造成多巴胺濃度一飛沖天，而且會改變受體（receptors），使它們變得愈來愈不敏感，而造成積重難返的耐藥性（tolerance）與成癮性（addiction），一旦戒斷，會產生嚴重的焦慮不安，而長期服用則會萬劫不復，對於脆弱的大腦造成無可彌補的損害以及身體無法回復的摧殘。

吸毒是一種最嚴重的社會瘟疫，但它不全然是醫學問題或法律問題，它更是根本的教育問題。「眾生畏果，菩薩畏因」，無論政府如何施出渾身解數，以罰款、勒戒、司法或輿論來抑制，以美沙冬「以毒攻毒」的替代療法，供應針具以減緩因「世紀之毒」產生「世紀之病」愛滋病之蔓延，其結果都將注定成效不彰。主要是這些治標的手段與措施，並沒有深入問題的核心，解決根本的問題。毒品的濫用其深層動機是為了追求快樂或逃避不快樂，而我們的家庭價值與教育系統只教導追求知識及分數，並沒有重視智慧及品德，而我們的社會系統只鼓勵追求利益與成就，並沒有肯定奉獻與利他。競爭的壓力和得失的焦慮絕不會因感官的享受，世俗的肯定而消失，反而變本加厲，成為惡性循環。九十六年臺灣最「夯」的電影無疑是《海角七號》，其主題曲「無樂不作」，風靡大街小巷，正反映臺灣社會的集體焦慮及空虛，無論是追求感官的極樂或精神的藉慰，一旦涉及毒品，其所衍生的生理性依賴或心理性依賴，結果都是「樂極生悲」。為了滿足毒癮，也勢將「無惡不作」進入伊於胡底的惡性循環。真正的快樂必須建立在清明的意識與自主心靈的基礎上，被毒品綁架與套牢的靈魂與軀體，一再飲鴆止渴的尋求短暫的快樂，換來的將只是無邊的黑暗與無盡的痛苦。

一旦毒品上癮，除非有極大的毅力與勇氣，並有家庭與社會的支持系統，戒毒是難上加難的事，據統計在臺灣戒毒成功之案例可能不超過百分之十。從醫學的角度，毒海無邊，回首是「暗」，一旦涉毒便如同墮入絕症的萬丈深淵。每當有煙毒的個案被報導時，證嚴上人總是語重心長的提醒慈濟人，非採取對立的方式面對或排斥，而要以戒慎虔敬的心做好輔導與膚慰的工作，因此知識與常識的灌輸也就格外重要。毒品的根本問題在於教育，自古而今，教育之道即是愛智之道，須要啟蒙與鍛鍊。特別在民主開放，社會多元的今日，我們必須教導學生，民主的真諦在自我管理，自由的真諦在自我節制，自由絕不是思想行為的放任，而在於心靈的修煉與收放自如，也唯有有意義的快樂，才會帶來真正心靈的充實。教育的本質在涵養生命能量，提升生命層次，發揮生命價值，增進生命意義。《無量義經》教導我們要微渧先墮，以淹欲塵，在欲念初起時，大腦經過教育學習的行為抑制迴路，能迅速的發揮作用，就像清涼的小水滴，及時洗滌欲望，避免一發不可收拾。而曉了分別，性相真實，更是期待在險惡的人生道路上，要能克己復禮，明辨是非，建立積極正向的人生觀。美國前教育部長派吉（Paige）指出：「品德教育並不是一朝一夕就可以完成的，而是整個教育的核心，是一種生活的融合。」生活教育旨在從行住坐臥、進退應對、聲色儀態、思想行為間培養正確的生活習慣與生命態度，並反映在專業精神與倫理上。教育無疑是消毒、滅毒，進而無毒的不二法門。

「天、地、君、親、師」，古人不但將師者名列五倫，而在字裡詞間更隱涵對老師之最大尊敬。在戰場中，元帥最大，而「師」字是在「帥」上再加一橫，則是對老師「夫子之道，一以貫之，忠恕而已」之期勉。在國家中，天子最尊，而「天子」不過頂天立地，「夫子」則是教人出人頭地。「師者；傳道、授業、解惑」；道是道之以德，導是導之以正。「導」是「道」在方寸之間，就如同禪宗三祖僧燦大師在《信心銘》所指出：「至道無難，唯嫌揀擇；但莫憎愛，洞然明白；毫釐有差，天地懸隔」，化育英才要本乎平等心，同理心，智慧心，差之毫釐，謬之千里，一念之差，既微且險。美德如無智慧為其耳目，很容易盲衝瞎撞，趨於邪路而不自知。證嚴上人常云：「沒有教不好的學生，只有不用心的老師」。願每個教育界的同仁都能本著「有教無類」的教育精神，「破迷啟悟」的教育使命，為反毒教育，落實完整防毒體系，善盡自己的教育責任。

毒品檢驗與無毒有我

慈濟大學副校長　賴滄海

毒品檢驗在毒品防制反毒宣導活動中所扮演的角色就如同超速測速，路邊酒測在交通安全宣導的角色一樣的重要。懲罰並不是主要的目的，能讓違規者知所警惕而改變行為，進而達到防制才是最終的目標。

我們經過了長期的宣導，都知道開快車、喝酒開車不安全，但是難免心存僥倖，開車到了路寬車少的路段，不自覺的就會踏緊油門。這時若看到「前有測速照相」的警告標語，不管是否真的有照相設施，我們都會自動的減速，間接的達到了交通安全的目的，但是如果只是虛張聲勢，久而久之，駕駛者就會忽略這一警告招牌，而失去了它原有的嚇阻作用。

毒品的濫用，不僅對自己身心造成直接的傷害，也間接的造成家庭、社會莫大的損失。不同的毒品各有其特殊性的化學及藥理性質，因此檢驗的方法也有所差異。

毒品氾濫是全世界的問題，如何防毒、反毒有許多可以從國外借鏡學習的地方，由於毒品一旦成癮不易戒斷，因此一般認為事先預防是最有效的策略，這也就是為什「無毒有我」宣導活動重要的地方。

毒品檢驗的目的，如同前段所提到的行車超速測速或酒精含量測試一樣，都是為了達到最終的反毒或行車安全的目的。毒品檢驗只是一個手段，在反毒宣導的過程中，讓一般民眾不要心存僥倖，從而不接觸毒品，這才是最終的目標。

回顧毒品種類發展的歷史，國內除了傳統的嗎啡（海洛因）及甲基安非他命外，也不時有所謂「類原藥」（Designer drug）的出現，比如搖頭丸，喵喵，或所謂的「合法毒品」（Legal High，指具成癮性，但尚未被立法列管的毒品）等新興毒品的出現。歸究原因，除了藥頭推陳出新以吸引顧客外，另一個很重要的原因就是要規避檢驗。

對於一般具成癮的醫療用藥之分級及列管，有一定的立法程序，必須兼顧醫療使用的方便性及防止毒品的濫用性。在這法律的空窗期，販毒之不法之徒可藉機謀取暴利，檢驗單位必須有能力在最短期限內研發出檢驗方法，以縮短毒品濫用的空窗期，協助反毒工作的順利進行。

所謂的「合法毒品」以最近例子為例而言，歐洲近幾年來，透過網路，公開販賣號稱「K2或Spice」之產品，其中摻加有人工合成大麻的成份，具有大麻的藥理效果，但又不是大麻，傳統針對大麻的檢驗方法無法偵測，等到科學家終於解開了這一課題，販毒者又配製了新的成份，這是一場沒有止境的競爭，只有靠檢驗單位儘快的研發出檢驗方法，在尚未大流行造成傷害之前加以制止，毒品危害防制才能有效的展開。

一般毒品檢驗皆以尿液為檢體，因為尿液採集方便、量多且相較於其他體液，藥物或代謝物之濃度較高，但缺點是能夠偵測到藥物的時間較短，通常只有兩到三天的時間。若以頭髮為檢體，則視頭髮之長短，可檢測從最近幾星期至幾個月前的使用毒品歷史。為了要方便檢體之採集，目前也加緊研發以唾液為檢體的檢驗方法。

尿液中的毒品檢驗，比如說國內常用的甲基安非他命、鴉片類、搖頭丸、愷他命都可以用免疫檢驗分析法偵測，免疫分析法是利用抗體所具有的特異性，能辨認不同類別的藥物，利用特殊的抗體所設計的檢驗方法種類很多，有自動化儀器的檢驗或類似家用懷孕檢驗，單次的使用套組，都能提供快速初步篩檢的功能，但免疫檢驗試劑無法辨認個別之藥物，例如使用海洛因或服用含可待因的止痛劑都會產生鴉片類的陽性反應。

因此，以免疫檢驗試劑經初步篩檢呈陽性的檢體，必須以更精密的方法做進一步的確認，目前的標準作法是以氣相層析質譜儀分析。氣相層析質譜儀是由兩種不同功能儀器組合而成的設備，氣相層析的功能在於分離不同的毒品或它在人體內分解成的代謝物，在氣化的狀態下分離，其原理類似我們農村早期用來分離飽穗與空殼稻殼子的風車，利用人力產生風力，藉著比重的不同而被風力吹開，氣相層析儀所用的氣體是氦氣，在固定的流速於高溫下，以特殊的毛細管柱將藥物分離。

質譜儀是一能偵測分子質量大小的儀器，其原理類似不同大小孔徑的篩子，可將砂石分成不同的大小加以分類，質譜儀本身也可稱量的多少，故質譜儀可辨認個別藥物的種類，也可「稱」量的多少，通常國內對毒品的檢驗標準，安非他命類為0.5ppm、鴉片類為0.3ppm、大麻代謝物0.025ppm。愷他命0.1ppm，氣相層析質譜儀的感度非常的好，必要時，可測得更低。

毒品檢驗的檢體採集，由於受檢者有不想被檢出的誘因，因此，在檢體的採集時應考慮到如何避免被掉包、加水稀釋、攙假等，政府對此都有一套相當的規定。

由於毒品檢驗結果影響重大，重者有牢獄之災，工作權的保障，因此必須慎重為之，對此，政府也對檢驗機構有相關的規範，只有經過衛生署認可的檢驗機構及檢驗毒品項目，才能執行相關的檢驗，其目的是希望檢驗能做到勿枉勿縱。

在無毒有我的宣導活動中，由於我們有能力即時的偵測及分辨使用的毒物，對於心存僥倖者，產生必要的嚇阻作用，可協助達到反毒的目的。

從醫學角度看戒毒的困難

臺北市立聯合醫院松德院區成癮防治科主任　束連文

前言

會影響精神狀態及功能的藥物使用由來已久，幾乎可以說有人類以來就有，這些會影響精神狀態的藥物都是有成癮的特性，古代就有，多是由植物產生：穀物發酵後的酒、菸草、咖啡、檳榔、古柯葉等等，以往這類東西不能算是藥物，而且使用有特定的社會限制或規範，例如古代馬雅人在慶典時飲用巧克力。中國以酒祭拜等。在現代社會這些藥物的使用已經跨越了社會儀式、醫療。有些成為日常生活中的一部分，如咖啡、茶；有一些成為生活中常見的現象，不過因為並不好而被管理限制，如菸品、酒類；有些有不良影響及濫用的問題而被禁止，如毒品；有些因為醫療用途而限制於醫療使用，如各種管制藥品。又因為科學的發達，化學藥學及合成技術的發展，具有成癮特性的藥物被發現。鈍化，特別是混合及改造自然界物質的合成藥物（如海洛因。安非他命）的出現，使得藥物種類眾多與日新月異，出現藥效及成癮性更強的藥物，引起濫用及成癮問題日趨嚴重，也增加防治藥物濫用的困難度。

藥物使用行為和成癮的差異

成癮的藥物對於精神狀態的作用所產生的效果，對人來說是有正向的感受，有不小的吸引力，加上環境影響、朋友影響、好奇、追求刺激等等，當有毒品供應時就會有毒品使用的情形，這是舉世皆然，藥物濫用的現象及問題是每一個地區、國家都會有的。整體而言藥物濫用是現今社會上嚴重且困難處理的問題，因成癮藥物（不論合法或是非法藥物）濫用而造成對個人身體健康，對家庭、社會、經濟、治安等傷害都相當嚴重。毒品的使用不但傷害自己，而且也對於周遭的家庭社會造成傷害，所以社會上一致反對毒品的使用，要求對這種現象，以社會司法的力量加以控制及預防，立法規範對毒品的使用行為，加以處罰及嚇阻。社會有藥物濫用的現象，自然就會有藥物成癮的發生，我們在看待社會上濫用藥物現象和藥物成癮應有些不同，在此對於藥物使用後所造成的成癮現象及影響做較深入的說明。

成癮的行為表現

對於已經藥物成癮的人，成癮會引起的影響，是讓這個人在行為上對於會成癮的這種藥物控制力不足，我們會看到有菸癮的人很難控制自己完全不抽菸，海洛因成癮的人同樣地很難停止注射海洛因，雖然自己知道抽菸有害健康，但是總是會有各式各樣的理由還在抽菸，雖然知道海洛因是犯罪的、很危險的，但總是會有僥倖的心理，讓自己再用一次，並不是成癮的人不懂道理。不知道對錯，他們和一般人在思考能力上並沒有差別，差異是在於成癮者的成癮藥物使用行為上的障礙，知道不要用但是行為上做不到。這種行為控制力的損傷是成癮的主要病症，不過通常成癮者自己並不瞭解，還以為自己可以因為知道了就可以控制，所以在戒和用藥之間多次地重覆，到周圍的親友不再相信，甚至自己不再相信自己，自暴自棄。最麻煩的是即使已經很不好，已經出了很多狀況，這個對藥物控制力的問題仍然在，所以常常見到成癮者在惡性循環下愈來愈嚴重。

成癮的否認心理

在成癮者的表現上還有一個特別的現象，成癮者在心理的運作上對自己的成癮行為，經常用不負責任或是推卸責任的態度，這種心理的運作在專業名詞中稱為「否認」的自我防衛機轉。因為人總是會對發生在自己身上的事做說明及解釋，而成癮行為對於當事人來說，他找不到合理的理由來說明，也就是當自己清楚知道不應該施打毒品但是還在使用的時候，如何能有合理的理由。所以常會把自己的行為問題推給別人、推給外界壓力、推給環境因素。這種現象（否認自己有問題的心理機轉）其實並不完全等同於成癮者在說謊，成癮者經常處於很困難的處境下，他有意願要脫離但是做不到，不瞭解脫離的方法所以實際上脫離不了，但是自己又清楚知道應該要脫離。我們經常看到成癮者下定決心不要再回去用毒品，也努力去做，但一段時間又用上了，自己會很後悔又再用毒品，又想要改——是真誠的想要改變，不過仍然做不到，這不只是意志力的問題，成癮行為的改變是需要訓練及學習的，通常需要足夠的時間及協助才能達到。

處罰對於成癮行為效果不佳

社會上對於使用毒品當然是反對的，所以不會有人認同成癮藥物可以使用，所以法律禁止毒品使用，訂立處罰的目的也是在嚇阻毒品的使用，維持社會的秩序，非常不幸的就是這些已經毒品成癮的人，他們在開始使用時的確是犯錯的，使用毒品觸犯法律，被處罰是罪有應得，但是如果毒品使用行為持續到他對毒品成癮了，情形就大不相同，因為一旦發展為成癮之後，他的使用行為不再是自己可以能完全控制的，等於他不能控制自己的犯法行為，而同時法律並沒有停止處罰，這就是現在所看到的現象，毒品犯的再犯率非常高，對已經毒品成癮者的處罰並不能達到停止毒品的使用行為。

藥物濫用

藥物濫用對於生理心理的影響除了藥物直接作用外有三個重要現象：

一、耐受性：耐受性指的是當持續使用特定藥物，身體會對該藥物產生對抗的情形，此時若使用同樣藥物劑量效果會下降，所以需要使用比以前更高的劑量才能達到同樣的效果。

二、生理依賴性：意指持續使用一段時間後，人的身體適應為要依賴藥物才能正常運行，所以當藥物中止時，會出現生理上不適應的現象（臨床上稱之為戒斷症狀）。

三、成癮：意指用藥行為已經成為不自主的動作，個人對於自己控制限制攝取量的能力不足。

以上耐受性及生理依賴是生理上對於藥物藥理作用的反應，如果藥物停止後會逐漸回歸正常。不過成癮的現象並不會在停止藥物以後自己恢復，也就是說一旦成癮後，這個控制能力受損的現象會持續下去。

藥癮是疾病

研究證明，不同藥物因為其藥理特性的不同，所以對身體各個器官作用及影響不同，會出現有不同程度及性質的傷害，例如各種癌症（如嚼食檳榔導致口腔癌）、心血管疾病（中風、心肌梗塞）、肝臟疾病（酒精性肝炎、脂肪肝、肝硬化），以及經血液傳染的疾病（經由共同針具、共用藥物及稀釋液方式感染愛滋病毒、B、C肝炎）等。特別值得注意的是成癮的現象，藥物成癮是因腦部功能及結構的重大改變。這個腦部結構影響是指藥物作用的關係使得大腦的皮質、組織等腦部結構產生病變，功能影響則是指藥物作用影響腦部功能，使個人的情緒、思考及行為模式與原先正常情形不一樣。

進一步研究發現，精神作用性藥物能夠對大腦掌管愉悅與快感的部位產生作用，使服用者產生愉悅的感覺，這是成癮性藥物會被濫用，人會在嘗試後繼續使用的原因，更重要的是，大腦的作用會記得達到快感的化學藥物捷徑，建立某種記憶的關連，個人即使是停止使用之後，生活環境中的細微線索，例如相關景物或相關的感覺，有可能觸發並活化當初使用該藥物的感覺，而有可能再次挑起對藥物的使用慾望渴望，而持續藥物的作用會不斷加強這些連結，甚至形成永久性而且不可逆的結構改變。這使得已經成癮的人在戒斷過程及將來藥物使用上容易復發。因此，藥物成癮實際上可以視為是一種慢性的、易復發的腦部疾病，藥癮的治療不能急功近利而忽視了復發的危險。

由醫療的觀點，基本上，藥物成癮是可以治療的疾病，運用適當的藥物及治療手段，是能夠有效減少成癮藥物的使用及併發問題，就如同對於其他的慢性生理疾病，如糖尿病、氣喘及高血壓，持續的治療能控制症狀及改善預後，藥癮治療的有效率並沒什麼差別。依據文獻調查的結論，提供足夠的治療能夠降低藥物濫用的比例達四到六成，降低犯罪的比例也達四到六成，以及增加就業比例達四成。而就成本效益來看，進行治療比不治療或是監禁便宜，所以藥物防治是值得政府投資的措施。目前醫學已經對成癮行為有相當瞭解，成癮行為是對於用藥行為失去控制，以致造成個案在行為上無法控制藥物使用的現象。因為使用成癮藥物所造成的成癮行為有生物學上基礎，完全符合醫學上對於疾病的定義，所以在醫學的領域中明確指出，藥癮是一種慢性、易復發的疾病，世界衛生組織也已明確訂定藥癮是重要疾病，提供藥癮醫療是醫療品質的重要指標。

醫療方式

醫療是以疾病的觀點，針對藥癮的病因、藥癮的病態行為及對疾病的瞭解來發展藥癮治療，以幫助藥癮個案的方式，經由改善藥癮個案，達到減少藥物濫用的問題的專業工作。

目前防治藥物濫用與成癮的醫療行為主要有下列方式：

一、藥物中毒之處理

二、藥物引起之併發疾病：藥物所引發的併發症可以分成兩部分，一是身體疾病，例如肝、肺、心臟血管疾病等。另一部分是精神疾病，例如憂鬱症、焦慮症、器官性精神病等。

三、急性解毒：主要目的在於處理停止藥物時的戒斷症狀，協助患者脫離對藥物之生理依賴。不同的藥物所引起的戒斷症狀不同，一般而言戒斷期由數日至一個月不等。急性解毒期，重要的是對病患的併發疾病評估及預防戒斷症狀，以及確保安全及不再使用藥物的環境。

四、長期復健：藥癮是一種易復發的慢性疾病，對於已成癮的病患，並不是停止藥物使用就可以康復，成癮對病患的影響仍會持續，停止藥物使用以及急性解毒之後應該有一個長期的復健規劃並且持續監測，這一部分應包含各層面，整合了個人及團體治療、社會與家庭支持、工作能力培訓、生活規劃等面向。重點在經由重建個人生活規律，增加個人解決生活問題的能力，能有新學習而且落實的生活及行為技能，以彌補成癮所造成的自我藥物控制能力障礙，以正面、健康的生活形態強化個人抗拒藥物的毅力、能達到生活形態的改變及建立良好支持系統是非常重要的成分。

五、替代療法及其他藥物療法：這一類療法是持續使用與成癮藥物結構類似、作用類似，但長期使用不會對身體產生損害的戒癮用藥物，來取代成癮藥物，藉此漸次降低對成癮藥物的需求。

在臺灣的美沙冬替代療法

美沙冬是一種鴉片類藥物，藥理作用和海洛因相類似，同樣是成癮性藥物，美沙冬的作用時間較長，足夠劑量可以維持一個整天，海洛因則只能維持四至六小時，是用於替代而不是戒除海洛因。因為在靜脈注射毒癮者（主要是海洛因成癮）之間愛滋病毒的快速傳染在九十四年爆發，為了要控制這一波愛滋病毒傳染的嚴重問題，政府才開放可以運用替代藥物治療海洛因成癮者。在這之前國內因為對於毒品使用者的犯罪規定，醫療上並沒有運用鴉片類藥物在海洛因病患的治療。事實上替代療法藥物的使用是藥癮治療中很重要的醫療方式，在世界各國廣為運用，對海洛因成癮者有相當大的幫助，這種替代療法是以具有長效作用的鴉片促動劑藥物來替代海洛因毒品，以協助毒品使用者維持正常的生理功能，減少毒品使用行為，進而減少對自己及對社會的損害，是以減輕傷害為出發的一種治療方式。海洛因成癮者毒品使用行為大多以靜脈注射，雖然使用海洛因是非法行為，但已成癮的人對自己成癮的藥物使用行為並不會因為非法而停止，在偷偷的注射海洛因又經常共用注射的針及共用稀釋液，互相傳染愛滋病毒的機會大增，因為當時已經有傳染爆發的事實而且不可收拾的情況下，也只好提供替代海洛因的合法藥物給他們，才能減少海洛因的使用行為，進而減少傳染愛滋病毒。

到目前在擴大推動美沙冬替代療法後，海洛因成癮者的愛滋病毒傳染問題得到控制，也讓臺灣對於藥癮者的醫療服務上邁進了一大步，而在二〇一一年的法務統計資料上看到臺灣的一級毒品案件數目明顯的下降，也顯示出運用醫療的方式能夠減少於成癮的藥物使用行為，降低毒品犯罪人數。以美沙冬替代療法的施行經驗，可以提供對現行處罰政策的修正方向。

結語

最後呼籲社會大眾，要瞭解到藥物濫用的問題很複雜，使用藥物的行為可能造成的長久影響，嘗試使用毒品或成癮藥物絕對不是可以輕忽的小事，沒有接觸過毒品的人請千萬不要開始。如果已經在不同處境下接觸過毒品的人請立刻停止，若不幸已經使用而且成癮的人需要尋求專業協助面對問題改善。成癮者的康復之路是很長而且需要醫療、環境、社會及個人共同努力的工作。

「無毒有我」教育宣導之服務學習模式
——慈濟大學經驗

慈濟大學教師發展暨教學資源中心服務學習組　陳建智

一、緣起

根據法務部統計處資料顯示：台灣地區九十九年各地方法院地檢署起訴罪名排序，毒品犯罪分居男女性犯罪之前一、二名，再累犯比率也高達百分之八十二，且少年刑事案件之毒品犯罪占百分之二十八，全國青少年非法藥物使用盛行率更達百分之一點六，前述統計數據顯示毒品濫用不但已成為國內嚴重之社會問題，更是戕害個人身心健康及造成許多家庭破碎和社會沉重負擔之根源。

為有效遏止毒品戕害國人健康，減少毒品犯罪滋生社會嚴重問題，本校特於民國九十八、九十九年結合慈濟基金會教師聯誼會共同於全省各社區及各級學校推動「無毒我有、有我無毒」反毒教育宣導活動，擬藉由結合各項支持資源系統與擴大社會參與力量帶動國家社會、社區、家庭與個人建立拒毒、反毒之健康意識與行為，更盼藉以建構永續性之有我無毒之健康生活型態及健康支持環境為目標。

二、目標

本校具備良好的毒品防制健康促進發展條件，包括：醫學、公衛與教育傳播等領域之專業師資群，並且重視培養學生服務利他精神與社會參與責任；因此，為延續前揭無毒有我專案成果，本校特於今年與花蓮縣各級學校攜手合作推動一系列「無毒有我．教育宣導服務學習活動」，盼能藉由本校豐沛之教學研究資源與師生參與社會服務熱忱，有效地與毒品防制之健康促進培力相互結合，務期建立莘莘學子拒毒、反毒之正確觀念與行為，進而營造清淨無毒之健康生活，更擬藉此建構有效之毒品防制健康促進培力教學及服務學習模式，並推廣適用於其他學校。

三、行動策略

本方案爰以九十八、九十九年無毒有我專案成果為基礎，並從服務和學習各階段之交互關係，據以規劃花蓮縣各級學校校園毒品防制健康促進培力活動，分別於一百年上、下半年施行，依各期工作重點任務，概分為四個階段，其內容如下：

（一）準備階段：1.招募毒品防制健康促進志工團隊。2.辦理各項增能研習暨教育訓練活動。3.設計適合介入對象之教學活動方案。4.實施教學活動方案之驗證工作

（二）服務階段：1.推動花蓮縣各級學校毒品防制教育宣導活動。2.辦理花蓮縣學校春暉社團毒品防制培力研習。3.舉辦無毒有我希望種籽生

活營隊活動。

（三）反思階段：1.廣泛紀錄學生志工活動省思札記。2.實施教學活動滿意度調查。3.召開各項活動檢討會議。

（四）慶賀階段：1.舉辦本項計畫成果發表暨觀摩活動。2.辦理各協同相關人員及志工感恩活動。

四、各階段活動歷程

（一）招募與組訓健康促進志工團隊

為妥善運用慈大與慈濟技術學院師生人力資源，特於每學期初於校內進行本方案志工團隊招募活動，其施行內容包含有各系動靜態招募宣傳、結合藥物濫用——通識教育課程於課後招募宣傳等，同時對於有志於本方案之師生舉辦工作說明會簡介活動內容，統計於三月十七日招募有慈大九九級兒家、公衛、傳播、護理、醫技、物治及醫資等七系八十五位學生、於五月二十日招募有慈濟技術學院醫管系八位學生、於九月二十七日招募有慈大一百級護理、兒家、醫資及傳播等四系三十五位學生，總計有一百二十八位學生志工熱情加入本校毒品防制健康促進志工團隊。

為建立本志工團隊具備執行毒品防制教育宣導之基本認知與實務應用能力，特邀請校內外專業師資群規劃一系列增能研習課程與教育訓練活動，包括：由本校王本榮校長從「醫學觀點認識毒害」教導學生志工正視毒品戕害身體健康之嚴重性、慈濟教聯會王慧鈴老師講授「無毒有我．校園教育宣導範例演示」、賴瓊杏老師講授「無毒有我．校園教育宣導活動之設計與技巧」、慈濟醫院王文利專員講授「認識毒品與迴避毒品誘惑之技巧」等，期間也邀請大愛台製作《逆子》反毒宣導影片之劇中主角黃瑞芳師伯與學生志工分享述說其自身吸毒、戒毒、反毒之生命重生歷程。

（二）設計適合介入對象之教學活動方案暨實施教案之驗證

為擴大方案效益，本項毒品防制健康促進培力擬實施對象，包括：國小學童、國高中青少年學子及學校春暉社團學生等，為使各項方案活動得依不同實施對象特性順利推展，乃由學生志工依前述教育訓練編撰適合介入對象需求之教學活動，更邀請校外專家指導每件學生方案設計與審視方案之可行性。

為讓各項活動確實發揮其教育作用，更安排學生志工團隊到東華大學實驗小學高年級班級進行校外教學演示，藉由實際的教學情境與真實的互動歷程，驗證本毒品防制健康促進活動之有效性。

（三）舉辦花蓮縣校園毒品防制健康促進培力活動

本項校園毒品防制教育活動依各階段任務需求分期實施：第一期以花蓮縣秀林鄉、萬榮鄉、新城鄉、吉安鄉等十四所國小學生為實施對象，由慈大學生從引起動機、發展活動，以及學習回饋等教學歷程設計適合國小學童學習程度的四十分鐘教學活動，總計有六百八十位國小學生參與。

第二期以花蓮市六所高中職學生及春暉社團為對象，一方面由慈大學生團隊結合實務專家共同進行全校性毒品防制教育宣導，同時也對於各校春暉社團進行培力講習，透過播放教學影片與邀請更生人述說其吸毒、戒毒、拒毒與反毒之生命重生歷程，建立青少年對於毒品的正確認知觀念，並帶動春暉社團成為學校推動反毒教育主力，期間亦包含有五所國小學童的毒品防制教育活動，總計有一千九百八十四位學童參與（附表一）。

（三）辦理慈濟援建學校之無毒有我希望種籽生活營

為使國中小學童能於暑假期間從事正當休閒活動，避免因父母工作無暇陪伴下受到犯罪誘使產生觸法行為，暑假七月七日起至十二日，本校與慈濟北區教聯會共同於南投慈濟援建學校「九二一希望工程學校」辦理「無毒有我．希望種籽暑期生活營」，為因應學員參與活動之需求與兼顧城鄉資源平衡，分別於南投縣草屯鎮炎峰國小及南投市南投國小分兩梯次辦理活動，總計吸引三十六所學校兩百二十五位國小學童參與。

每梯次活動由慈濟北區教聯會教育志工團隊精心設計課程內容，同時由本校與慈濟技術學院學生志工擔任活動隊輔，活動期間除了播放戒毒者重生的影片故事，讓學童了解「毒品」如何危害生命之外，課程也融入生命教育、品德教育、生態教育與環保實作等，更盼能透過營隊活動使學童發願「自愛、愛人」，將學習到的反毒知識在開學後與同學分享，一起成為校園反毒尖兵。

（四）廣泛紀錄學生志工行動反思與實施教學活動滿意度調查

本健康促進服務學習活動，不僅著重於防制毒品濫用減少社會問題，同時也強調學生服務學習之生命體驗，因此於方案過程裡讓每位學生志工透過書寫省思札記，藉以回觀其行動蘊含公民責任與涵養服務利他情操、整合知識探索與實務應用能力、體悟個人生涯及處事態度之心得；此外，為了解本方案實施成效，也藉由編製教學活動滿意調查蒐集各協同合作機構人員意見，藉以作為方案後續規劃之參考依據。

（五）舉辦成果發表會暨辦理各協同相關人員及志工感恩活動

為有系統整理本項毒品防制健康促進培力方案工作，於每階段工作結束後邀請本方案之協同機構相關人員與各界實務專家以及參與學生志工們共聚一堂，彼此相互觀摩及分享經驗，藉能匯聚各方意見據以促進本方案後續實施成效之依據，同時也為參與本方案志工們表達感恩謝忱，更盼藉此活動帶動更多民眾響應本方案呼籲，期許於有我之因緣，開創無毒之天地。

五、總結

面對瞬息多變的現代社會，如何讓大家對於毒品有正確認知與了解毒品之可怕，進而凝聚社會集體共識，掙脱毒品之桎梏、遏止毒品濫用吞噬我們的身心健康，使得反毒成為全民運動，本校推動無毒有我・教育宣導服務學習系列活動乃以結合慈濟志業體及各公私機關團體資源，為永續推動校園毒品防制健康促進工作提供參考（附表二）。

表一　慈大100年推動花蓮縣校園毒品防制健康促進培力活動一覽表

時間	活動地點	實施對象	參與人數	執行團隊	學生志工數
05/18	秀林鄉水源國民小學	五、六級學童	50	醫技系	6
05/19	秀林鄉文蘭國民小學	五、六級學童	35	護理系	6
05/20	秀林鄉佳民國民小學	一～六年級學童	90	兒家系	6
05/20	秀林鄉三棧國民小學	五、六級學童	31	兒家系	5
05/20	秀林鄉銅門國民小學	五、六級學童	37	傳播系	4
05/20	秀林鄉秀林國民小學	五、六級學童	45	公衛系	7
05/20	新城鄉嘉里國民小學	四～六年級學童	53	兒家系	7
05/20	新城鄉新城國民小學	五年級學童	62	醫資系	10
05/22	萬榮鄉見晴國民小學	四年級學童	54	醫資系	7
05/23	吉安鄉太昌國民小學	六年級學童	92	醫資系	5
05/25	秀林鄉銅蘭國民小學	五、六級學童	23	醫技系	6
05/27	秀林鄉崇德國民小學	五、六級學童	47	傳播系	3
05/27	新城鄉康樂國民小學	五、六級學童	29	兒家系	5
05/27	秀林鄉富世國民小學	五、六級學童	32	兒家系	5
10/28	花蓮高級工業學校	全校師生	1,146	醫技、傳播系	6
11/02	花蓮高級中學	春暉社團學生	22	醫技、傳播系	6
11/04	東華大學實驗小學	五年級學生	35	醫資、兒家、傳播系	20
11/09	花蓮四維高中	春暉社團學生	70	醫技、傳播系	6
11/15	吉安鄉南華國民小學	三～六年級學童	90	護理、兒家系	8
11/16	花蓮高級商業學校	春暉社團學生	32	醫技、傳播系	6
11/17	花蓮市國福國民小學	一～六年級學童	32	公衛、傳播系	8
11/17	花蓮市信義國民小學	三～六年級學童	60	醫資、傳播系	12
11/18	花蓮市吉安國民小學	三～六年級學童	80	兒家、傳播系	9
11/18	秀林鄉景美國民小學	五年級學童	70	公衛、傳播系	6
11/23	花蓮體育中學	全校師生	140	醫技、傳播系	6
12/02	慈濟附屬中學	高二學生	179	醫技、傳播系	6
		合計	2,664		181

表二 慈大100年「無毒有我」教育宣導服務學習系列活動一覽表

時間	活動主題	實施對象	參與人數
03/04～03/10	第一期學生志工招募宣傳系列活動	慈大99級各系學生	360
03/17	學生志工招募說明會暨服務方案簡介（一）	慈大學生志工	87
04/10	學生志工教育訓練暨增能研習工作坊	慈大學生志工	78
05/04～05/11	國小教學活動方案討論與編製作業	慈大學生志工	68
05/18～05/27	國小校園無毒有我教育宣導服務活動	秀林、萬榮、新城、吉安等4鄉14所國小師生	680
05/20	無毒有我希望種籽暑期生活營志工招募	慈大、慈濟技術學院學生志工	18
06/15	期末成果發表暨志工感恩活動	慈大學生志工	65
06/17	無毒有我希望種籽生活營志工講習	慈大、慈濟技術學院學生志工	12
07/07～07/09	南投希望工程無毒有我生活營：炎峰國小場次	炎峰、富功、光華、中原等20所國小師生	110
07/10～07/12	南投希望工程無毒有我生活營：炎峰國小場次	南投、康壽、草屯、光華等16所國小	115
09/26～09/30	第二期學生志工招募宣傳系列活動	慈大100級學生	320
10/07	學生志工招募說明會暨服務方案簡介（二）	慈大學生志工	67
10/14～10/17	學生志工教育訓練活動	慈大學生志工	35
10/11～10/21	教學活動方案討論與編製作業	慈大學生志工	35
11/04	東華大學實驗小學校外教學演示活動	慈大學生志工、	35
10/26～12/02	高中職校園無毒有我教育宣導服務活動	花蓮市六所高中職師生	1,465
10/26～12/02	春暉社團無毒有我健康促進培力活動	花蓮市六所高中職春暉社團	124
11/14～11/18	國小校園無毒有我教育宣導服務活動	花蓮市、吉安鄉5所國小	360
12/17	年度成果發表暨志工感恩活動	慈大與慈濟技術學院志工	120
		合計	4,154

拒絕毒害迎新生

毒品濫用者的人生故事

臺中女子監獄秘書　劉昕蓉

靜思語：「人生最大的懲罰是後悔。」在矯正機關工作近二十年，每天看到的盡是後悔的人生故事。故事中的人痛苦，旁觀的人唏噓不已。

故事一：老天為何不給我機會

早上十點，看守所內一如往常，人來人往雖然忙碌，但是秩序井然。突然從接見室走道傳出一陣淒厲的哭喊聲，我與同仁趕忙跑過去查看，一看是吳美哭得搥胸頓足。

吳美是數度進出的熟面孔了，每次出監前都信誓旦旦要戒毒，但過不了多久又會因為吸毒而入監。問她為何一再吸毒？理由不是「找不到工作，很煩」、「朋友來找」就是「閒著也是閒著，哈一下」……有一次我跟她開玩笑說，以她進出得如此頻繁，乾脆請調查科設立一個吳美專卷，不必每進來一次就做一次調查資料，以節約資源。

問了接見室同仁，原來是吳美的家人來告訴她父親往生的消息。看她哭得如此傷心，只能先帶到一旁，等她情緒較穩定後再跟她談。

吳美告訴我她上一次因毒品案被判三年六月的刑期，在宜蘭監獄服刑期間母親過世了，當時家人為她申請返家奔喪，她在同仁戒護下戴著手銬、腳鐐，回家送母親最後一程。當時她向父親保證這是最後一次入監服刑，出監之後一定會重新做人，不再使用毒品。

言猶在耳，吳美又因吸毒再次入監服刑。

吳美說父親因罹患癌症，健康狀況欠佳，她也知道這一天遲早會到，只是沒想到來得這麼快。本想回家好好照顧父親，以盡孝道，沒想到老天爺如此絕情，連這點機會都不給她。看著她說得如此傷心，我心中不斷浮現證嚴法師說的「世上有兩件事不能等，一是孝順、一是行善。」老天其實給了吳美很多機會，只是她一次都沒把握住。這一次她又是戴著手銬、腳鐐送父親最後一程。

故事二：悲哀的頭版新聞

一日在報紙的頭版看到一則逆子弒親的消息，圖文並呈占據了整張頭版的版面，仔細一看這報導中的主角不是出監未久的曉君嗎？趕緊拿給同仁看，大家都說就是那個曉君。她因為向父親索討金錢買毒不果，憤而持刀刺死父親。

第一次看到曉君時，她才二十歲出頭，細白的臉龐散發著青春的光采。她說因一時的好奇，在朋友的慫恿下吸毒，原本只是玩玩，沒想到一頭栽下去就戒不了。我鼓勵她利用這次入監服刑的機會，遠離那些朋友，趁著還年輕重新來過。曉君說這會是她人生唯一一次的囹圄體驗，她絕不會再進來了。

就像大多數的吸毒者一樣，再次入監像是難逃的宿命，曉君又來了。

才幾年不見，曉君卻像老了十幾歲，毒品對人的摧殘真是可怕。往日青春洋溢的臉龐，如今變得枯黃乾瘦；大腿根部的股動脈附近皮肉，因反覆施打毒品已感染潰爛；更糟糕的是，曉君的精神狀況明顯失常，她有嚴重的幻聽和被害妄想。

曉君的父親是退休的老榮民，他一直沒辦法理解原本乖巧懂事的女兒，如今卻是矯正機關的常客。他只能拖著老邁的步伐，轉坐兩、三趟公車，到監獄來看曉君。

我們的勸告和親情的呼喚並沒有讓曉君脫離毒海，此後曉君又入監多次，除了更形憔悴的身形，換過人工血管的大腿，粗如象腿卻沒有一點彈性，摸上去像是摸到一跟石柱子。而她的精神狀況也更加錯亂，說起話來牛頭不對馬嘴，情緒很焦躁，動不動就與人發生衝突。

曉君就像一朵盛開的花，原本應該生氣勃勃地在枝頭上展現她嬌美的丰姿，卻因自己的迷失，成了爛泥中殘破的花瓣。因為母親的求情，曉君最後被判處無期徒刑，看著這樣的結局，我們除了感慨還是感慨。

故事三：鐵窗內的幼童

志豪的爸媽都是吸毒者，媽媽並沒有因為懷孕而戒毒，所以志豪甫出生就因戒斷現象被送進加護病房。先天不良再加上爸媽沉迷毒海，志豪常常有一餐沒一餐的，剛入監時黑瘦骯髒，八個月的他看起來像三、四個月大的小娃兒。除了發育遲緩之外，志豪常感冒、消化不良，身上也常長出各樣的疹子或濃疱，好不容易治好了，過一陣子又長出來。我們看了很心疼，但是孩子的媽自顧不暇，長期使用毒品及服用大量精神科藥物，使她整日呈現昏昏欲睡的狀態，孩子的尿布溼到連被子也溼了一大片，她也不知道要幫孩子換尿布；餵孩子喝奶時，隨便塞到孩子嘴裡讓他吸個兩口，就放在一旁，常常一天就是那一瓶牛奶反覆讓孩子喝。多次教導、訓誡也不見改善，只好請其他收容人協助照顧這個可憐的孩子。

雖然法令規定可以攜入三歲以下幼童隨母同囚，但監獄畢境不是適合孩子成長的地方，尤其志豪的媽媽顯然不適任母職，我們請媽媽為孩子的將來著想，請社會局介入，安排孩子出養或寄養。但是志豪的媽媽認為孩子可以讓她申請到補助，而且有孩子在身邊，她在監比較輕鬆，所以不願意讓孩子出養或寄養。

小寶的媽媽入監後才被檢查出懷孕了，因為是婚姻的第三者，而且也早不與娘家往來，所以直到足月才由監獄戒護到醫院生產。圓胖可愛的小寶是大家的開心果，更是大家捧在手心呵護的寶貝。我們看著他長大，但是一直到了三歲仍沒有家屬願意來帶他回家，媽媽因為販毒，刑期仍遙遙無期，只好請社福機構協助安置。小寶的媽媽在懷孕期間曾同意社會局的安排，在孩子出生後即出養，但其後看到孩子可愛又捨不得了。到小寶一歲時，又有一次出養的媒合，也是已找到收養的家庭後，媽媽又反悔了。

三歲的孩子已經知道很多事了，這三年來除了出去打預防針，小寶都一直住在監獄裡。被接出去的那一天，他拚命哭號，掙扎著不跟社工阿姨走，我們的淚跟著他的哭聲一路流不停，唉！孩子何其無辜，大人的自私，卻讓孩子受苦。

筱真上次跟著媽媽入監時才六個月大，這次再進來已經是兩歲三個月了。父母戒不了毒，孩子只好跟著一關再關。我們擔心孩子的將來該怎麼辦，媽媽卻想著出監後去哪裡買毒品。

我們常說孩子是上天送給父母最好的禮物，親子作家蔡穎卿認為，大人所能給孩子最好的禮物，就是「做個好大人」。在監獄看到這些隨母同囚的幼童，我們感嘆命運的捉弄讓孩子投胎到這樣的家庭，只能不斷的為他們祈禱，希望他們能平安長大。

故事四：愛情的代價

真真的父母在她小學時即離婚，父親不久後再娶，雖然繼母對真真很好，但真真很怕與繼母感情太好，會對不起媽媽，總是刻意跟家人保持距離。上了國中後，因為對課業沒有興趣，輟學去學美髮。離開了家又渴望被關心，很快交了一個男朋友，不久就同居在一起。

男友不務正業，偶爾會施暴，但真真都以他很愛她為理由，原諒男友。男友販毒，她會幫忙接電話，或一起去做毒品交易。男友常常告訴真真，她還未成年，萬一被警察捉也不會有事。真真認為愛男友就是為他做一切事，所以當警方破門而入時，真真馬上將桌上的毒品往身上藏，在警訊筆錄上也供稱毒品是她所有。

父母到少觀所來看真真時，真真還很天真地安慰他們自己不會有事，並要求父母除了為自己請律師辯護外，也要為男友請律師。

我們為真真解釋相關的法令規定，請真真一定要說實話，不要誤信男友的謊言。十七歲的真真因販毒案被判處十二年徒刑，接獲判決書後她痛哭失聲，癡情的她為了另一半，鋌而走險以身試法，等到被判了重刑才知後果嚴重。這不是「問世間情是何物，直叫人死生相許。」的風花雪月，而是青春夢斷的慘痛教訓。

其實在監獄內，這類為愛入監的癡情女為數不少，無論是十七歲或是三十七歲，她們都為純純（蠢蠢）的愛付出慘痛的代價。人生不能重來，這樣的教訓代價實在太大了。

靜思語：「做該做的事是智慧，做不該做的事是愚癡。」但願這些悲痛的人生故事，能給大家一個警惕，毒品千千萬萬不可碰。

毒海沉淪血淚史

秀美

心中最大的慟，莫過於毒海淹沒了家，淹死了弟弟，慟死了父親，毒害之可怕，真像魔鬼般如影隨形，緊追不捨。只要一沾上毒，就無法擺脫毒魔的控制，壓得家庭、父母、家人喘不過氣來，弟弟也因此深陷毒海，無法自拔。

大弟和我隔六歲，父母好不容易生下了兒子，簡直如獲至寶，欣喜不已，隔年媽媽又生二弟，緊接著小弟也來報到，全家和樂融融，共享天倫之樂。父親從事中西各報社派報業負責人，工作認真，任勞任怨，照顧家庭，讓我們生活沒有匱乏，他對子女的教育也很重視，希望我們讀好書。

當弟弟讀小學時，因頭腦靈活，成績名列前茅。父親管教子女也很嚴格，「爬樹怕摔死，游泳怕淹死」總是禁東禁西，古云：「嚴官府出厚賊」弟弟們多希望追求自由，就在我民國六十四年師專畢業，擔任老師那年，大弟進入國中，他糊里糊塗加入臺北華山幫，交到輟學生、壞朋友，開始吸強力膠、逃學，父親為杜絕大弟的惡友，國三時舉家搬到板橋就讀，但情況並未改善。大弟不想讀書，逃學、逃家更變本加厲吸食速賜康，打安非他命。

父母心急如焚，常常夜夜未入眠，四處找尋孩子。父親絕不護短，莫可奈何之下，拜託少年隊管教大弟，於是大弟進了少年觀護所，我們家人也時時去看他，鼓勵他。三年後大弟去當兵，但當完兵又是惡夢的開始，大弟又繼續吸毒，施打毒品，無視父母殷殷的叮嚀，天天猶如行屍走肉般醉生夢死，很不幸地二弟也跟上吸毒，家庭陷入水深火熱的毒海裡，大弟為了要錢買毒，常常六親不認在家裡大吼大叫地「死要錢」，父親曾痛苦地說：「兩個孩子都吸毒，我們父母彷彿活在地獄中。」

看著心力交瘁的父母，我的心在淌血。這期間父母、我和大姐，總是用心關懷，協助大弟進出私立戒毒所，難以計數。民國七十七年，父親教大弟、二弟派報工作，父親說：「我對兒子從不放棄，希望兒子承接派報工作，會戒毒，不會無所事事」，當時父親生了一場大病，心臟開刀，總是拖著孱弱的身子，在清晨四點多，一步一步艱難地爬到大弟的臥房門口，聲聲呼喚叫醒愛兒去送報，就怕大弟毒癮一發，又不知去送報，唯恐大弟沒有謀生能力，真是天下父母心呀！

民國七十九年，大弟因再度吸毒入雲林監獄，父母心中的苦楚無處講，又怕親友恥笑，又怕兒子戒毒不成，全家人仍然不怕路遙，愛心總動員去探監，只盼大弟能好好戒毒。

父親因積憂又積勞成疾，於八十年七月往生，時年僅六十六歲，他一生克勤克儉，沒享過清福，死前還老淚縱橫的說：「希望兒子能毒海重生！」父親最痛心、最放心不下的也是大弟和二弟的毒癮呀！

這時二弟也決心要戒毒，以慰父親在天之靈，他對母親也懂得噓寒問暖的關心，怎奈毒癮如魔，如針刺、如蟲鑽，他在手札上寫著：「毒太難改了，我怕拖累母親及家人，毒害我走上不歸路，我對不起大家，既然改不了，我只有以死謝罪。」抱著自殺的弟弟，看著斑斑血淚的遺書，我們大聲痛哭，民國八十一年十一月二弟悄悄的結束他的生命，我們是何等不捨，可怕的毒扼殺了年輕的弟弟。

母親在相繼兩年喪夫、喪子、大弟又被關，母親椎心之慟，是難以言喻的。我和大姐常常回家陪伴他，但家中凝結的冷空氣卻久久不散。

大弟在獄中，我總是不停寫信砥礪他，也許是因「家書抵萬金」，大弟在頓失慈愛的父親及手足情深的二弟，也痛定思痛，大徹大悟要戒毒。出獄後改邪歸正，於民國八十六年結婚，母親天天叫醒大弟去上班，她才安心。大弟雖勇於戒毒，可是到了晚上會「以酒代毒」喝些酒助眠，還好也工作正常，對妻女照顧有加。但毒癮深，毒害久，毒已傷身，民國九十四年初，發現胰臟瘤開刀，出院後痛苦難耐，又買一級毒品海洛因來止痛，這寸毒寸金，短短兩週，揮金如土，大弟知道不能重蹈覆轍。他說：「毒害已傷及自己的生命，我不能再傷害最親的妻子、女兒及家人。」他決定回到三總住院戒毒，但一進三總就沒有出來，半年內與胰臟癌搏鬥，可憐瘦骨嶙峋，痛苦不堪，不幸於民國九十五年與世長辭，時年才四十六歲，但他卻是抗毒、抗癌的鬥士。母親又痛失摯愛的長子，萬般不捨與無奈，幸好小弟意志堅定，未受毒害，還能承歡膝下，十分孝順。

行筆至此，淚眼滂沱，心中之慟，無法撫平。毒癮難戒，毒害一生，毒海會淹沒家庭的幸福、淹埋健康的身體、毀沒前程和事業，甚至斷送自己的生命。「毒」不可不慎！藉由親身之慟，希望能宣導「反毒」、「防毒」，讓「毒海沉淪血淚史」不再重演！

從逆子到破浪而出

法務部「無毒有我」徵文社會組金牌　**陳晞**

「瑞芳，為什麼阿爸阿母的話你攏嘸聽……」這句心痛的呼喚，彷彿隨著黃媽媽的眼淚，一同流進了每個人的心中……

一連看完黃瑞芳、蔡天勝兩位慈濟師兄走出毒海的故事，心中引起陣陣漣漪。或許是每一段與毒品接觸的故事總如此的相似。短暫、麻醉性的快樂過後，換來一段段黑暗茫然的歲月。除了傷痕累累的自己，也傷了家人的心。最後留下的往往只有漫長刑期和淚痕濕襟的家人們……

回憶起六年前，三百五十天的羈押禁見，讓我獨自在一坪半的舍房細數過去的荒唐。我曾經以為吸毒傷害的僅有自己。但解禁後的第一次接見，尚未拿起話筒，透過玻璃窗看見原本略為豐腴的母親竟操煩得只剩皮包骨……這幅無言的畫面，遠比任何責備的話更深烙心底。也才懂得，恣意傷害自己的同時，也往往狠狠地傷了那些最愛你的人……

我開始明白，這趟刑期是上天賜給我回頭的機會。交保候傳的日子，更讓我珍惜那段與家人相處的時間。二審判決後，我便決定不再上訴，坦然面對十年八個月的刑期。不再企圖以巧言詭辯掩飾我的過錯，轉而將心思專注於可以留下什麼陪伴孩子？

我買了一卷卷的錄音帶，為孩子念著故事，錄下我想對她說的話。雖然不擅表達，總不夠生動；雖然一再哽咽、一再重錄……知道聲音的陪伴無法沖淡母親不在的遺憾，但我不願孩子以為我的離去代表遺棄……我在每一個故事的結尾都會再一次的告訴她：

「親愛的寶貝，媽咪真的很愛妳。我的離開是為了面對自己的錯誤，是為了再次昂首的和妳走向未來……」

入監執行前兩天，我參加了孩子的幼稚園畢業典禮。看著孩子用心表演精采的歌舞；看著我的天使神采飛揚地帶領畢業生念著感言。臺下努力捕捉孩子第一場燦爛舞臺的我，雖然因即將來臨的分離而心酸難過，但仍真心感謝上蒼賜給我這個本來也可能失去的機會。雖然因即將步入生命的幽谷而害怕不安，但卻更衷心期盼走出幽谷後的重生。

在我的床前有一扇窗。每一個清晨我總能遙望黎明逐漸劃開黑幕、綻放光明。雖然水泥窗條暫時阻隔了我與天空的距離，陽光仍毫不吝嗇的透過窗櫺灑落我一身金黃。彷佛在告訴我，只要我堅持向陽的心，我終能再次成為在陽光下綻放的向日葵。

回顧過往，面對未來

法務部「無毒有我」徵文社會組佳作　高士欽

美麗的夕陽餘光漸漸暗淡，回到舍房後，我收拾起在工場所帶給內心的喧嘩，當下默念著心中的信仰，似乎已成了我在這的生活習慣，同時，腦海也開始過濾今日生活的點點滴滴，此時的我，心中有一股莫名的感動，因為今日在工場看完一支反毒影片，一支值得細細品味，令人感動的影片。

跟著記憶中的影片內容，使我開始回憶起我過去，是如何地因為毒品使我的生活從幸福美滿，走向了地獄深淵，我曾經在年少力壯的歲月時，就擁有了人人稱羨的美滿家庭，和收入不錯的穩定工作，如意算盤是如此的打著，本以為這一生就這樣幸福的到老，然而，天真的有不測風雲，人也有旦夕禍福，曾經和我海誓山盟的妻子，會如此說走就走，在承受了如此巨大打擊的我，完全失去了鬥志，成日有如遊魂一般，身旁的損友，不忍見我如此頹廢下去，提供給我一種名為「安非他命」的二級毒品，剛開始，我仍寧可藉酒澆愁，但在一次的無奈下，也是損友再三保證不會成癮，終於禁不住而走入了這一條不歸路。

初次接觸安非他命的我，帶給我的感受真的非常的大，而且真的非言語可以形容的，嚴格來說的話就是，成了神仙，那種亢奮，執著，好似讓我找回了我失去的動力，但是卻令我無法入眠，於是我又向這損友請教要如何才能改善，在此我終於接觸這一級毒品，海洛因，我的生活也終於受到這二種毒品的控制，不停的輪迴，醒的時候，我便靠安非他命提神，想休息時便使用海洛因來放縱自己的精神，就如此度過了一段真的是非人的生活，漸漸的我的收入無法和支出平衡，開始欺騙身邊的人，好換取金錢購買毒品，以及和損友一同去做了一些不可告人的事情，而夜路走多了，終究會被發現，在一次的行動中我終於被警方查獲……

現在的我，正在鐵窗中為我過去的所作所為贖罪，此刻我回想起某部電影的臺詞「我相信我的孩子只是做錯事，而非做壞事」，因為我最親的家人，正是以這樣的態度，不停的鼓勵我，歷經這次的事件，我不敢說又上了一課，因為這課其實可以不需要，但我卻深深明白，毒品帶給人的傷害有多大，也明白即使犯下大錯的我，我的親人仍願意不計前嫌的陪在我身旁，甚至為我安排回去後的出路。我發自內心地感謝他們，待我贖完罪抬頭挺胸地走出去後，我會永遠記住這教訓，然後從頭到尾改變自己，不會再令我的親人，傷心失望難過流淚。

蛻變的人生

法務部「無毒有我」徵文社會組佳作　**張家莉**

《逆子》片中的情景，彷佛讓我看到過去的自己。

瑞芳童年時因為阿嬤過度寵愛，以致於做錯事被父親責罵時，只要大喊「阿嬤！阿嬤！阿爸在打我」，阿嬤就會出聲阻止。在這樣的情況下，使得瑞芳根本從來都不知道自己做錯了什麼事，當瑞芳日漸長大成人，在外結交了壞朋友，每天都過著廝混的日子，甚至沾染上吸毒的惡習，沉淪毒海，逃避兵役，過著亡命天涯的生活。母親絕望的眼淚及阿嬤臨終前的牽掛，已無法喚回誤入歧途的他。

而我，從小就在父母及家人的疼愛中成長，因為叛逆而交到壞朋友，最後走上吸毒這條路，讓我從此過著失去自由的日子，當時身染毒癮的我根本不曾想過家人的感受，雖然母親的淚水從不曾停歇，仍無法喚回迷失毒海的我，甚至，有次出監後不久又遇上毒友，自己禁不起誘惑，再次走回吸毒那條路。當時，剛婚後不久，我去高雄找外婆，外婆碰巧不在家，從鄰居那裡得知外婆去進香，我竟然開始動歪腦筋，偷了外婆的印章及存摺，還到銀行盜領了二十五萬元。之後就馬上返回臺中購買毒品，事後外婆知道錢被我領走，卻也沒有再追問什麼。直到去年外婆因意外過世了，當時我想陪外婆走最後一程，阿姨們卻說不歡迎吸毒犯，說什麼也不讓我上香，然而外婆的過世成為我心中最大的遺憾。當我看到影片中瑞芳的阿嬤過世，他的家人同樣不讓他上香的情景時，再次勾起我心中的痛，眼淚不聽使喚地流。當初外婆還在世，我卻不懂得珍惜，現在說這些都太慢了……

俗語說：「學好三年，學壞三天」，善與惡，選錯邊人生會錯過許多，而且也會不斷在逃避及後悔中度過，吸毒不僅損害健康，更讓父親失望又必需忍受親友的指責，在鄰居閒言閒語的難堪下，我真的太對不起父母親了。現在的我，只求囹圄的日子裡好好表現，最重要是下定決心別再沉溺毒品的迷障中無法自拔。要找出自己的方向，好好反省、檢討並改變自己，期許回歸社會後過著不一樣的人生，決心回歸正路不再迷失，別再讓遺憾發生，也別枉費師長的教誨及雙親的期盼。

社會的禍害：毒品

法務部「無毒有我」徵文國小組佳作　李明展

「毒品」是人人聽而色變的物品，它能使一個正常人走向毀滅，甚至丟了生命。在社會的新聞事件中有太多的毒品案件，有的家庭破碎、有的斷送了美好的前程、更有的出賣自己的身體來換取毒品。

為什麼毒品一吸就不能翻身了呢？因為吸毒後感覺會非常快樂舒適，身體所有的器官都被藥性控制住了，不管做什麼事都不會有太多的感覺，只會覺得非常舒服。但是當藥性過了，可能會引起發燒、嘔吐、暈眩、視覺模糊或身體失去平衡等狀態，這就是身體機能受到毒品的吞噬，如果不停止吸毒的話，身體將會因為器官衰竭而死，由於吸毒者對毒品的需求，會想盡辦法來得到毒品，可能會去偷去搶，而形成大層面的社會問題。

在我爺爺家隔壁就有一位哥哥，他年紀輕輕就染上毒品，因為交友不慎，誤入歧途。哥哥常常跟他爸爸要錢，要是爸爸沒錢就把家具拿去賣。因為爺爺跟哥哥的爸爸是好朋友，也常勸他不要把錢給他兒子，但是不給哥哥錢，哥哥就會打他爸爸，所以他常到處去借錢給他兒子買毒品，最近哥哥因為借不到錢，所以偷偷在他爸爸的香煙裡加毒品，以致於他爸爸也染上毒癮，他們父子倆一起到處騙人騙錢，到最後騙上自己的前途和生命，這是一個寵壞孩子走上吸毒的案例。真是一個令人唏噓不已的例子。

雖然現在社會已經嚴格禁止吸毒和販毒，但毒販還是無孔不入，我們應該加強宣導，讓年輕人立志向前擬定人生方向，不可被毒品所迷惑。我們可以訂定一條法規：「青少年吸毒父母一併受罰。」所謂「養不教，父之過。」父母應該一起受罰。還有我們要小心交友，有一句話說，「近朱者赤，近墨者黑。」祝福每位青少年朋友都有健康的身心，美好的未來。

二〇一〇社區「無毒有我」保家園活動觀後感

法務部保護司視察　**房麗雲**

慈濟人向來熱心公益不遺餘力，慈濟四大志業有慈善、醫療、教育、人文四大志業，每一項志業的推展都非常艱鉅，也都是內在的心靈建設工程。想起多年前慈濟尚未踏入反毒宣導的工作，心中一直期盼慈濟師兄師姊的加入；或許是因緣未到，直至今日，由於慈濟大學王本榮校長及臺大蕭水銀教授熱心牽線，開始透過慈濟教聯會眾位師兄師姊之協助下，於校園、社區開始一系列「無毒有我」教育宣導活動。

經由慈濟社區師兄師姊之聯繫，每一場出席人數皆爆滿，可見慈濟在綿密的組織運作下，每一個志工都盡心盡力把工作做好，也讓我驚訝在假日有這麼多人願意攜家帶眷來參與無毒有我活動，透過一場場校園及社區的宣導，已將反毒的種子散播在社區、校園各個角落。

我總共參與三場活動，印象最深刻的是慈濟板橋園區有一千兩百人參加，滿場都是家長帶著子女闔家參與。由此可看出慈濟人際網已深入到社會每個角落，反毒工作單靠政府資源投入有其限度，而民間資源無窮！

一場反毒的戰爭已悄悄開打，身為社會的一份子，已無法視而不見，毒品已如入無人之地，見縫插入，無論是鄉村、都市、山地或海邊都有它的足跡，因販毒是一本萬利之行業，俗語云：「殺頭生意有人做，賠錢生意無人做」，如不及時防堵，很可能你我的親人、朋友、同學、子女都將成為藥頭推銷毒品之對象。每一場宣導活動，都經過慈濟教聯會師兄師姊的精心企畫，整場活動中穿插短劇、現身說法、帶動唱等。印象最深刻者為葉春美師姊現身說法其子戒毒的心路歷程，家人如何從旁協助、陪伴，葉師姊願意將其經驗與大家分享，實在令人敬佩。可憐天下父母心，每個小孩都是父母的寶貝，孩子吸毒，最傷心者莫過於父母，父母在心痛之餘，如何協助其戒毒，常是父母需面對的功課。

以我們站在戒毒的第一線承辦人員觀察，看到吸毒者能夠戒毒成功，大都因其背後有家庭愛的力量支撐著，由於家人的不離不棄，才是吸毒者願意回頭的最大支持後盾。而社會大眾如果願意對這些迷途的羔羊伸出援手，以接納關懷取代嘲笑歧視，將可免於吸毒者及其家人在黑暗的角落暗自哭泣、徬徨無助，當然也拯救了無數瀕臨破碎的家庭！

很高興慈濟人願意站出來，宣導毒害、淨化人心，進而接納關懷這些吸毒者，畢竟吸毒者並不是洪水猛獸，不能僅靠刑罰矯正。將吸毒者視為病人予以治療，協助其復歸社會，已是當代犯罪預防學者一致的看法。面對毒品的泛濫、社會治安日漸敗壞，民眾不能再以事不關己的態度應付之，惟有全民正視毒害，才是解決毒品問題最好的政策，願與慈濟人在反毒的路上共同努力。

心甘情願的承擔

法務部保護司科長　**張裕煌**

九十八年十一月一日，慈濟教師聯誼會的師兄、師姊們給了敝人機會，前往於慈濟台北東區會所舉辦的「無毒有我」師親種子培訓研習活動，讓我能擴展視野和學習。這是我第一次參加慈濟的活動，出發前心裡除了期待外，也有些許忐忑不安和壓力；直到抵達會場，先前的心情已被在場慈濟師兄、師姊的熱情驅走了，換來的是震撼、感動和溫馨的感覺。

當王本榮校長在會上說明活動辦理緣由、介紹幕後推手林仁混院士與蕭水銀教授夫婦，慈濟教育志業發展處的陳乃裕師兄如何迅速動員，培訓慈濟教聯會的志工老師與大愛媽媽們成為反毒的「種子老師」深入校園與社區的種種規畫時，腦海中頓時湧入聞聲救苦、利濟眾生的慈濟廣大志工網路，已在這個攸關國家、社會、家庭及個人的重大命題上貢獻出心力的畫面。

這些助力無疑對我輩從事多年毒品防制工作同仁，注入了威力強大的信心，當下有種感覺：雖然我們各來自不同地方、從事不同行業，但心已串連一起了。我相信「無毒有我」這句話也都已深深地注入大家的心中，但「感動，也要有行動才能受用。」而我們要如何把感動轉化為行動呢？我想學習慈濟志工夥伴的精神，先從「心甘情願」的承擔開始吧！而這也是我們需先努力的課題。

九十九年三月二十一日第一次進到三重園區「社區無毒有我」專題研習會場，認真、和諧的氛圍令人眼睛為之一亮、心裡則是佩服和感動，舞台的設計、燈光、音效等，都代表著慈濟人對毒品防制及本次專題研習的重視。此外，精心設計的活動內容與流暢的期程，這些都足以令人為之讚嘆啊！往後陸續參加基隆與汐止園區所安排的眾多課程，共同的特色是活動品質不變，創意無限。

感恩慈濟大學、慈濟基金會教育志業發展處、慈濟基金會宗教處、慈濟教師聯誼會及財團法人台北市林仲鋆文教基金會，在王校長等師兄、師姊的規畫下，創全國之先，整合有關單位與民間團體資源，以多元執行策略達成「無毒有我」之中心目標，戮力在學校、社區的反毒工作。以毒品防制工作的複雜性、困難度及非營利組織投入的可限性而言誠屬不易。期待慈濟人繼續給我們支持，慈濟人的精神、身影常伴我們，為我國下一代的國民健康與社會安全，共同努力。

破浪而出

二林工商教官 吳榮祥

臺灣社會吸毒問題日益嚴重，且新興毒品層出不窮，施用年齡更呈現向下蔓延且增加的趨勢，對於這樣的現象，相信不僅是校園中師長擔憂的問題，更是社會各界該共同關注的課題。很高興能看到慈濟大愛電視臺將吸毒犯戒毒成功的真實故事搬上螢幕，更願意將此片分發至各級學校推廣運用，究其目的無非是希望青年學子能深刻體認藥物濫用對於身心的威脅，進而以積極樂觀的態度拒絕毒品、遠離危害。

《破浪而出》這部反毒宣導影片，係以慈濟志工蔡天勝與林朝清的人生寫照來改編拍攝。劇中對於吸毒的動機、同儕間的影響、家人關係情感的互動，及社會各界對吸毒的看法與接受程度，都深刻地在劇情中傳遞反映，例如在面對年邁父母的傷痛絕望、妻離子散的悲劇，以及假釋出獄後，遭人之排擠，無法立足的情節，都相當具有引人省思、教化人心的感動。

在青少年時期的學生，對於毒品禍害認知是不足的，他們會陷入毒品的漩渦，無非是因為同儕的慫恿、好奇心的驅使、環境的影響，甚至是為了逃避某些來自父母與師長的壓力……等等。《破浪而出》這部電視影片，正好可提供學校作為對生命教育、道德教育以及法治教育面向的教材，讓學生知道吸毒不僅是違法，更要懂得珍惜自我的生命，進而在同儕間相互影響、交互惕勵。

常有很多個案認為自己有信心不會被毒品所綁架，且以為某些毒品不是毒，因此才會一個一個相繼陷入毒品的誘惑而無法自拔，然而當為了獲取毒品而誤入歧途之後，自我的生命色彩亦隨之轉換，讓原本亮麗光明的人生因此走向灰暗失敗。扮演教育學生第一線角色的我們，有其義務與責任將孩子從懸崖邊拉回來，即使迷失千百隻羊也要一隻隻把他找回來。

隨著時代的變遷，隔代教養、單親家庭的學生越來越多，家長沒有多餘的時間關心或教導，誤入歧途的情形亦越趨嚴重。對於有吸毒徵候的學生，不僅該有敏感度來預先防範，且應更付出心力來關心與輔導。環境是有影響力的，且更具穿透的傳染力，若不能讓學生在一個優質的教育環境成長學習，未來校園將成為毒販最大的市場，而學生則成為毒品最多的消費者。這樣的校園安全危機，該是所有擔任師長與教官們省思的課題。

誠如吳部長在各項會議期勉軍訓人員所示，要讓學生瞭解毒品是百害無一利的東西，更要將毒害一生的信念深植校園各角落，告訴我們的孩子要珍惜生命，不能自毀前程，不能做出讓父母師長傷心難過之事。而對於那些迷失在毒品的學生，要相信他們有再生的能力，切勿孤立放棄他們，更要不吝給予愛與關懷，適時適切給予正確的管道，讓他們不放棄正面向上提升的力量。

逆子回頭

國立板橋高中教官　陳宏輝

看完《逆子》這部影片後，我的內心澎湃，久久無法平復。這是一部真人真事所改編的故事，主角黃瑞芳師兄，受到兒時的玩伴慫恿而加入黑幫、染上毒癮，最後在花蓮監獄服刑期間受到慈濟師姐的感召，終於讓他痛改前非，開始學習放下和付出，從而開啟了新的人生。

黃瑞芳師兄的經歷讓我相當感動，但如果他沒有遇到令他改變一生的貴人、沒有堅持到底的精神，我想他現在仍陷在「毒海」中而無法自拔。

轉任軍訓教官五年的時間，接觸相當多的學生，令我印象最深刻的是在第二個學校，雖然只有短短的一年，但卻是我生命中無法抹滅的記憶。因為這裡的學生大多是單親家庭，家境清寒不說，有些父母甚至還在獄中服刑，正因為缺乏家庭的關愛，很多學生下了課不回家，和同學去參加陣頭、吸食愷他命、一粒眠，甚至還帶到學校販售，他們的行為讓我很心痛，不斷地宣導無效後我決定加強查驗，並且加強輔導作為。

我每天觀察學生的行為舉止，看到有不尋常舉動的學生，便要求尿液篩檢，一學期下來竟然篩檢出二十幾名藥物濫用的學生，我對這些學生循循善誘，希望他們能夠戒除這個惡習，而我也不定時實施家庭訪問，希望家庭教育也能發揮功能，另外我更找了師父來協助輔導，希望利用宗教的力量來感化這些學生，這一切的一切都是希望學生能夠改掉這個壞習慣，或許一時半刻間無法改變，但我相信只要堅持下去，學生會感受得到，而只要能改變一個，就能減少一些社會問題的發生。

「堅持到底」，我想這是每一位軍訓教官都應該要具備的，尤其是校園有愈來愈多的學生濫用藥物，我們更應該努力去發掘，並且試著去輔導他們、改變他們，才能避免藥物濫用的問題在校園蔓延。

教育工作者必須扮演支持體系

臺北縣立秀峰高中教官　李慧芬

如果愛與接納可以改變一個孩子，你願不願意身體力行？《逆子》這部真人真事的反毒宣導教育影片，我先後看了兩遍，一樣的感動，卻有更多的省思。平凡真實的人生故事，充滿遺憾、悔恨和無奈，更多是家人的心酸和眼淚，雖然最終有了圓滿的結局，但一輩子的代價是不是太大。

慈濟大學校長王本榮強調「毒害」是教育問題，青少年敏感不安、焦慮，教育者必須因材施教。青少年階段，故事主角在生活上出現被欺負的危機，衍生出錯誤的求助和打群架的戲碼，其實是整個人生危機的開始，當危機出現時，缺乏適時的瞭解及正確的引導，是種下日後一連串錯誤的最大原因。「打罵」和「過度溺愛」的教育方式，都不能幫孩子解決問題，反倒會將其推向錯誤的洪流中。當孩子面臨身體、情緒、生活和人際關係中複雜的巨變，不見得有足夠的智慧去判斷和處理，這時候他們需要被瞭解、被關愛、被導正、被約束，利用講理的教育，幫孩子找到生存價值，並建立正確人生觀，才能阻止憾事一再發生。

在毒品泛濫，毒害漫延青少年的這個世代，正向的戲劇拍攝，確實能為教育盡棉薄心力。戲劇藉動之以情，説之以理的強烈影響力，讓孩子感同身受，在感動中找到道理和説服自己的點。「接受過反毒教育宣導的孩子，在面臨毒品誘惑時具有較高的拒絕力。」影片對教育的啟示無他，愛與接納而已，教育工作者必須扮演支持體系，成為孩子的貴人。也許每個孩子有效的點不同，而我們也始終不知道「點」在哪裡，但我們願意用正確的方式努力去做、去試，相信所有努力過的都會留下痕跡，也都會發芽結果，任何能成為孩子貴人的機會，相信我們都不會輕易放過。

慈濟大學「無毒有我」專案活動年表記事

＊二〇〇九年五月十五日

慈濟大學「無毒有我」專案活動緣起：中研院院士林仁混與台大教授蕭水銀伉儷蒞臨花蓮慈濟大學演講。會後蕭水銀說明台灣當前六萬多個受刑人之中，超過二萬個是煙毒個案，毒品對個人身心與社會戕害至鉅，她期待慈濟廣大志工網路在這個攸關國家、社會、家庭以及個人的重大命題上貢獻心力。慈大校長王本榮與慈濟北區教聯會總幹事陳乃裕討論後決定，將由慈濟大學主辦「無毒有我」專案活動。

＊二〇〇九年六月

財團法人台北市林仲亹文教基金會支持「無毒有我」活動：北區教聯會

總幹事陳乃裕偕同教聯會老師拜訪財團法人台北市林仲鋆文教基金會執行長高淑美，該基金願每年提供二十萬元經費，襄助慈濟舉辦「無毒有我」活動。

*二〇〇九年九月十二日

北區教聯會總幹事陳乃裕與北區教聯會編輯組召開「無毒有我」編輯教案會議。決議由王麗卿等編輯組老師著手編輯「無毒有我」種子師親培訓手冊，並邀請中小學老師編輯「無毒有我」之教材與教案。

*二〇〇九年十月廿二日

慈大校長王本榮、北區教聯會總幹事陳乃裕和教師等四人，為「無毒有我」專案活動拜會法務部，受到部長王清峰熱烈歡迎和肯定。

*二〇〇九年十一月一日

首場「無毒有我」種子師親培訓研習，在慈濟台北東區聯絡處舉行，近六百人參與培訓。

*二〇〇九年十二月十三日

「無毒有我」教育宣導教材編輯完成，分為小學和中學組各五個單元。

*二〇〇九年十二月廿六日

第二場「無毒有我」種子師親培訓研習活動，在豐原靜思堂展開，約有三百位參與。

*二〇〇九年十二月廿七日

「無毒有我」種子師親培訓教育宣導教材研習活動，在慈濟台北東區聯絡處舉行，共有六百一十人參與。

*二〇一〇年一月

走進校園教育宣導：教聯會老師與大愛媽媽，利用進校園說演靜思語故事因緣，在校園中進行「無毒有我」教育宣導。

*二〇一〇年一月十六日

法務部保護司副司長黃怡君拜訪慈大校長王本榮，希望慈濟多承擔更生人輔導工作。王本榮建議請大愛台以戒毒成功個案拍攝大愛劇場節目。

*二〇一〇年三月八日

慈大校長王本榮邀請台大教授蕭水銀、法務部官員暨贊助廠商至大愛台，與顧問張平、經理蕭菊貞會商「無毒有我」大愛劇場教育宣導片製作事宜。

*二〇一〇年三月廿一日

二〇一〇年社區「無毒有我專題研習活動」展開：中山、大同區活動有七百名會眾參參與；同日新泰、三重區活動共一千八百五十人參與。

*二〇一〇年三月廿九日

慈大校長王本榮邀請法務部、教育部及大愛台，於慈濟台北東區聯絡處商討【無毒有我・大愛劇場】宣導活動，達成決議：同意合作、共同承擔「無毒有我」教育宣導工作以及【無毒有我・大愛劇場】特映會活動。

*二〇一〇年四月十日
文山區「無毒有我專題研習」，文山、新店區各級學校師生及親子會眾六百〇八人參與。
*二〇一〇年四月十一日
基隆區「無毒有我專題研習」，計七百七十九位學員參與，期在校園與社區推動「無毒有我」的防患知識。
*二〇一〇年四月十七日
松山區「無毒有我專題研習」，專家教導「如何避免因好奇心作祟陷入毒害」，與會學員共二百九十八人。
*二〇一〇年四月十八日
中和區、汐止區、內湖區與中正萬華區分別舉辦「無毒有我專題研習」，各有四百一十九人、六百六十九、四百六十二人、六百一十九人參與；同日，新竹區「無毒有我專題研習」教導大家拒毒六招：一、哀

兵制勝法。二、自我解嘲法。三、走為上策法。四、投桃報李法。五、安身立命法。六、虛與委蛇法。共七百五十三人參加。

＊二〇一〇年五月十六日

桃園、中壢區「無毒有我專題研習」，共七百一十五人參與，法務部保護司副司長黃怡君與同仁出席此次研習；同日，板橋、海山區「無毒有我專題研習」，共兩千〇六十位參與；同日，大安區「無毒有我專題研習」，共四百〇五位學生、家長及會眾參與。

＊二〇一〇年五月十九日

【無毒有我．大愛劇場】影片剪輯完成，分為改編蔡天勝、林朝清真人實事的《破浪而出》和以黃瑞芳故事為藍本的《逆子》兩部影片。大愛電視台邀請慈大校長王本榮、法務部和教育部相關人員一起觀賞，討論內容和後續的細節。

＊二〇一〇年五月廿二日

士林、北投、淡水區「無毒有我專題研習」，共有一〇二七位學員參與。

*二〇一〇年五月廿四日

慈大校長王本榮與大愛台「地球的孩子」節目製作人陳芝安拜訪教育部長吳清基，報告慈大宣導「無毒有我」活動的進程和成果。吳清基表示肯定與感謝，並提出將邀請所有的校長出席觀賞【無毒有我．大愛劇場】特映會。

*二〇一〇年六月二日

教聯會老師一行十一人，南下恆春商工進行「無毒有我教育宣導」。共有師生九百多人參與。

*二〇一〇年六月三日

全國反毒大會中，由大愛電視台總監湯健明代表**贈送【無毒有我．大愛劇場】DVD予法務部、教育部、內政部、國防部、衛生署。**

*二〇一〇年六月五日

全台第三場「無毒有我」種子師親培訓暨教育宣導教材研習活動，在高雄鳳山連絡處舉辦，近五百位老師、教官、大愛媽媽及一般民眾參與。

*二〇一〇年六月十三日

信義區「無毒有我專題研習」，共一〇〇五人參與。教官梁明義分享親人吸毒的親身經驗。

*二〇一〇年六月十七日

四家廠商贊助製作【無毒有我・大愛劇場】DVD：華中投資股份有限公司、昇恆昌股份有限公司、燦坤實業有限公司、柏泰園事業股份有限公司贊助製作大愛劇場DVD。慈大回贈DVD給四家廠商。

*二〇一〇年六月廿四日

教育部首場無毒有我特映會，在台中市明德女中舉行。教育部長吳清基表示影片內容令他感動落淚，並感謝慈大校長王本榮贈送四千多套DVD予教育界做宣導教材。

＊二〇一〇年六月廿五日

法務部首場無毒有我特映會，在慈濟桃園靜思堂舉行，由桃園地檢署承辦；法務部長曾勇夫與所屬各單位主管，包括司長、副司長、典獄長、檢察長、主任檢察官、主任觀護人、毒危中心及反毒志工共同參與。

＊二〇一〇年七月十日

慈大與國家圖書館共同主辦「無毒有我特映會暨影後座談」暨學術合作簽署。

＊二〇一〇年七月二十日

教育部基北區「無毒有我」影片特映會，影片故事主角黃瑞芳親臨分享，約有三百多人參與。

＊二〇一〇年七月廿六日

法務部中區「無毒有我」特映會，在彰化縣政府演藝廳舉辦，由法務部保護司長費玲玲主持。特映會前縣長卓伯源召開記者會表達反毒的決心。約有七百多人參與。

＊二〇一〇年七月廿八日

法務部南區「無毒有我」特映會，在台南縣政府南區服務中心演藝廳舉辦，由於參加者非常踴躍，增開第二現場特映，共超過九百人參與。

＊二〇一〇年八月五日

在桃園縣政府禮堂舉辦「無毒有我」特映會，由教育部政務次長林聰明主持。教育部軍訓處長王福林、慈濟大學副校長賴滄海、台大教授蕭水銀、桃園縣教育處處長、衛生處處長、大愛台經理蕭菊貞、還有桃園縣中學以上學校校長、主任、教官和慈濟志工等，約有六百多人參與。

＊二〇一〇年八月六日

法務部宜蘭羅東區「無毒有我」特映會，在慈濟羅東聯絡處舉辦，《破浪而出》導演、新任文化局長鄭文堂分享因自身兒時親歷鄉下鄰居的家庭都為毒所苦，因此藉著拍攝本片盡一點影響力。約有三百多人參與。

*二〇一〇年八月十三日
法務部東區「無毒有我」特映會，結合慈大與北區教聯會主辦的「無毒有我教育宣導博覽會」，在花蓮靜思堂舉辦，約有五百多人參與。

*二〇一〇年八月十八日
士林地檢署假慈濟關渡園區佛堂舉辦「無毒有我」特映會，方便社區民眾參與，約有五百多人參與。

*二〇一〇年八月十九日
教育部台南校外會「無毒有我」特映會在新營高工視聽中心舉辦，約有兩百五十人參與。

*二〇一〇年八月廿七日
退休教師張綺薇捐贈【無毒有我‧大愛劇場】DVD給新竹市、縣與苗栗縣各小學。送至教育部軍訓處，由教官崔光宇代表接受。

*二〇一〇年九月八日

教育部雲林校外會「無毒有我」特映會在雲林縣教師研習中心舉辦，約有一百多人參與；同日，教育部竹苗區「無毒有我」特映會假新竹市建功高中舉辦。教育部政務次長林聰明、新竹縣、市教育處長、慈大校長共同參與。退休教師張綺薇贈送影片給次長林聰明，再轉贈給新竹縣、市及苗栗縣教育處。影片主角蔡天勝帶領一位更生人與會分享。帶領蔡天勝進入慈濟的志工也分享事情的經過。此會約有七百多人參與。

*二〇一〇年九月九日

嘉義地檢署在創新學院舉辦「無毒有我」特映會，約有五百多人參與。

*二〇一〇年九月十六日

教育部彰化縣校外會在彰化高中舉辦「無毒有我」特映會，約有四百多人參與。

*二〇一〇年九月十七日

教育部南投縣校外會在縣政府七樓國際會議廳舉辦「無毒有我」特映

會。由教育部次長吳財順主持，約有四百多人參與；同日，教育部高雄縣校外會在青年國中舉辦「無毒有我」特映會，約有三百多人參與。

*二〇一〇年九月十八日

雲嘉委員慈誠聯誼會在慈濟大林醫院國際會議廳舉辦「無毒有我」特映會，會前特別請教師王慧鈴做教育宣導。

*二〇一〇年九月廿三日

教育部台北市「無毒有我」影片特映會在成功高中舉行。台北市教育局副局長林信耀與會。此會約有一百五十多人參與。

*二〇一〇年九月廿九日

教育部花蓮縣校外會在化仁國中舉辦反毒影片特映會，八十多人參與。

*二〇一〇年九月三十日

雲林地檢署在雲林縣農會「無毒有我」特映會。參與者有校長、主任、老師、學生、反毒志工、家長以及觀護人約四百多人。

*二〇一〇年十月一日
花蓮監獄典獄長李至台邀請影片傳主黃瑞芳、導演朱延平與大愛台經理蕭菊貞為受刑人現身說法，約有八十多人參與。
*二〇一〇年十月四日
嘉義地檢署在嘉義市政府辦理「無毒有我」特映會，四百多人參與。
*二〇一〇年十月六日
教育部金門縣校外會在金門高中舉辦反毒特映會，約八十多人參與。十月五日晚上並先在小金門部隊作一場三百多人的特映會及教育宣導；同日，苗栗縣政府文化中心中正堂「無毒有我」特映會，約八百人參加。
*二〇一〇年十月七日
教育部台東縣台東高中「無毒有我」特映會，約四百人參加。幾位長時間輔導更生人的基督教人士亦前來參與，分享一些他們所關懷的個案。
*二〇一〇年十月八日

教育部嘉義縣新港藝術高中「無毒有我」特映會，約有四百人參加；同日，教育部花東區資源中心，台灣觀光學院春暉專案反毒影片「逆子」特映會，約有五十人參加。

*二〇一〇年十月十二日

法務部在五樓大禮堂舉辦一場「無毒有我」內部特映會。由法務部常務次長江惠民主持，約有兩百人參加。

*二〇一〇年十月十四日

教育部中區資源中心在中興大學化材館國際會議廳舉辦「無毒有我」特映會，約有兩百五十人參加。

*二〇一〇年十月十九日

教育部宜蘭縣校外會在宜蘭高商舉辦「無毒有我」特映會，約有三百人參加；同日，教育部台南市校外會在台南慈中舉辦「無毒有我」特映會，約有一百五十人參加。

*二〇一〇年十月廿一日

教育部南區大學資源中心在東方設計學院舉辦「無毒有我」特映會，約有一百五十人參加；同日，教育部九十九年桃竹苗大專院校反毒宣導影片特映會在中原大學國際會議廳舉行，主任檢察官洪景明呼籲大專院校重視校園吸毒問題。現場約有四百五十人參加。

*二〇一〇年十月廿五日

教育部九十九年度推動防治學生藥物濫用暨校園安全業務研習，在國家教育學院放映《破浪而出》影片。蔡天勝誦讀自己所接引的更生人，因父喪而無法回家的信，見證吸毒者對親人的傷害。約一百二十人參加。

*二〇一〇年十月廿六日

法務部舉辦第二場「無毒有我」內部特映會，由主任秘書宋國業主持，慈大校長王本榮與大愛台副總監張尊昱、保護司長費玲玲、副司長黃怡君一同參與，約有一百人參加；同日，教育部大學資源中心在南台科技大學舉辦「無毒有我」特映會。全場約有兩百五十人參加。

*二〇一〇年十月廿七日

教育部九十九年度推動防治學生藥物濫用暨校園安全業務研習，在國家教育學院放映《破浪而出》影片，更生人林朝清到場分享親身經歷。現場約有一百二十人參加。

*二〇一〇年十月廿八日

教育部北一區大學資源中心在輔仁大學舉辦「無毒有我」特映會，約有一百人參加。

*二〇一〇年十一月四日

教育部中二區大學資源中心在明道大學舉辦「無毒有我」特映會，明道大學校長陳世雄、蔡天勝參與分享。共計三百人參加。

*二〇一〇年十一月十六日

台北市少年警察隊舉辦「無毒有我」特映會。由台北市警察局副局長周壽松主持，參與成員有警察局各局處長官、少年觀護所志工、輔導個案、及個案家屬，放映後座談會回響熱烈。約有一百二十人參加。

*二〇一〇年十一月十八日

教育部屏東縣校外會在屏東高工舉辦「無毒有我」特映會。承辦王督導參與所有學校放映宣導，會場並展示七十篇心得文章。五百人參加。

*二〇一〇年十一月廿五日

教育部基北宜區校園安全維護及全民國防教育資源中心在淡江大學辦理防毒宣導影片特映會，約有一百二十人參加。

*二〇一〇年十一月廿九日

法務部九十九年度精進教育訓練研習會，約有主任觀護人和觀護人一百二十人參加。

*二〇一〇年十一月三十日

台灣更生保護會板橋分會觀護志工研習「無毒有我」特映會。八十人參加。

*二〇一〇年十二月三日
雲林縣四湖鄉參天宮「無毒有我」特映會，有五十二人參加。
*二〇一〇年十二月十日
教育部嘉義市在嘉義大學新明校區國際會議廳舉辦「無毒有我」特映會，約有三百五十人參加。
*二〇一〇年十二月十七日
雲林縣私立大德工商職校「無毒有我」特映會，三百五十人參加。
*二〇一〇年十二月廿七日
台南國立曾文農工舉辦「無毒有我，有我無毒」反毒及生命教育活動，約有兩百八十人參加。
*二〇一一年一月四日
台東靜思堂「無毒有我」特映會，約有三十八人參加。
*二〇一一年一月五日

台東太平營區「無毒有我」特映會，四百人參加；同日，台東國立成功商業水產職業學校「無毒有我」生命教育宣導講座，共四百五十人參與。

*二〇一一年一月七日
新北市立鶯歌工商「藥物濫用及防治愛滋教育講座」在活動中心舉行，參加的師生約有兩千人。

*二〇一一年一月十二日
教育部軍訓教官八〇期職前教育，在國家教育學院文薈堂舉辦。慈濟北區教聯會總幹事陳乃裕到場分享。計有兩百人參加。

*二〇一一年一月十九日
彰化永靖高工「無毒有我」特映會，約有八百人參加。

*二〇一一年一月廿四日
北市少年輔導委員會大安少輔組社工林筱帆邀請蔡天勝、林朝清與六位曾涉吸毒的少年會談。

＊二〇一一年二月十六日

泰國教育部率三十餘位中小學校長、主任前往慈濟參訪，教聯會安排無毒有我影片欣賞及反毒教育宣導。

＊二〇一一年二月廿一日

無毒有我專書編輯會議：慈大校長王本榮邀請台大教授蕭水銀、法務部副司長黃怡君、科長吳永達、教育部軍訓處長王福林、台北看守所主任沈淑慧、松德院區醫師束連文、國家圖書館編輯宋美珍、大愛台黃崇家、林仲鋆基金會秘書范小姐等「無毒有我」相關人員參加會議。

＊二〇一一年三月十九日

燦坤斗六店特映會：燦坤幾位店長、區主管鄭訓嘉共同到場籌備。法務部科長吳永達、地檢署楊主任、校外會督導吳開衍等與會。

＊二〇一一年三月廿六日

法務部無毒有我徵文、徵曲與徵片比賽【戰毒——為自己而戰】頒獎典禮在西門紅樓舉行，由次長江惠民主持。投稿文章有小學、中學、大學、社會人士共八百餘篇，反毒創作歌曲二十餘首，反毒宣導影片有十餘部，是有史以來教育宣導最徹底、場次最多、獲得回響最好的一次。

*二〇一一年三月廿八日

國防部邀請慈濟教聯會老師到軍法司談無毒有我教育宣導之經驗。教聯會致贈影片一百套、教育宣導教材五十份，由副司長林銘音代表接受。

*二〇一一年四月三日

燦坤南投店特映會：南投地方法院檢察署觀護人林宗材到場參加。店長何柏璁邀請平日受關懷的家扶中心的家人們參與。總計有八十五人參與。燦坤贈送前五十名全程參與者價值八百餘元的小家電。

*二〇一一年四月四日

燦坤彰化中正店特映會：彰化地方法院檢察署主任檢察官王邦安、主任觀護人岳瑞霞及多位觀護志工到場參加，店長潘雅惠邀約天主教慈愛教養院的院童來參與。總計有一百〇一人參與。店旁大川本舖麵包店主動加做麵包贈送與會者。

*二〇一一年四月十日

慈濟大學「無毒有我、毒品防制」校園教育宣導活動計畫系列活動之一的慈大與技術學院學生的教育宣導志工培訓工作正式展開，總共有七十多位同學參與，計畫後續深入花東地區中、小學做教育宣導，並利用暑假到希望工程學校做教育宣導研習營。

*二〇一一年四月十四日

二〇一一反毒創意設計獎（紫錐廣告設計獎）記者會在教育部五樓大禮堂舉行。蔡天勝、林朝清到場見證毒品對身體的危害。教育部次長林聰明、軍訓處長王福林、國立台灣科技大學校長陳希舜均到場參加。

*二〇一一年四月十九日

泰國清邁慈濟學校教職員工回臺灣進行培訓深耕人文研習，在慈濟三重園區舉辦「無毒有我」特映會與教育宣導活動。

＊二〇一一年四月廿一日

燦坤嘉義旗艦店與嘉義市毒危中心、衛生局、地檢署共同在嘉義市文化公園廣場舉辦「無毒有我」特映會，約有兩百八十五人參與。

＊二〇一一年四月廿三日

燦坤北港店「無毒有我」特映會，北辰國小校長丁招弟等四十五人參與。

＊二〇一一年四月廿六日

建國百年全國反毒列車啟動記者會在行政院院前廣場由院長吳敦義主持，宣誓貫徹「無毒家園，健康一〇〇」理念，打擊毒品，共創無毒家園；同日，大愛電視台記者會發表「長情劇展．人間渡」系列十三個影集，其中包括《逆子》及《破浪而出》五集完整版播出；同日，北區教聯會總幹事陳乃裕與泰國衛生部署長會面，分享慈濟大學結合教育部、法務部舉辦「無毒有我特映會」教育宣導活動之經驗與成效。

*二〇一一年五月廿七日

台南燦坤佳里店「無毒有我」特映會。周章欽檢察長、衛生局長林聖哲、法務部科長吳永達、主任觀護人葉國一及燦坤關係長張鈞參與。葉國一邀請教聯會於六月十七日加辦一場。

*二〇一一年六月三日

一百年反毒大會在台北舉行。慈大校長王本榮接受總統頒獎。

*二〇一一年六月六日

泰國教育部次長與四十二位官員前往慈濟參訪，教師聯誼會安排「無毒有我」特映會與教育宣導。次長邀請慈濟到泰國舉辦特映會與教育宣導。

*二〇一一年六月十七日

台南燦坤永華二店加辦「無毒有我」特映會，二百一十人參與。

*二〇一一年六月廿四日

燦坤於旗山工農舉辦「無毒有我」特映會。

*二〇一一年七月二日
燦坤東港店「無毒有我」特映會，一百一十人參與。
*二〇一一年七月三日
燦坤屏東市中正店「無毒有我」特映會，八十八人參與。
*二〇一一年七月七到九日
慈濟大學與九二一希望工程學校合作規劃二〇一一年暑假舉辦「無毒有我、有我無毒——希望種籽暑期生活營」。計有來自十六所學校一百二十位學員參加。
*二〇一一年七月十到十二日
慈濟大學於南投縣舉辦二場校園毒品防制衛教宣導，計有來自二十一所學校一百〇五位學生參加。
*二〇一一年七月廿二日
燦坤宜蘭店「無毒有我」特映會，九十三人參與。

＊二〇一一年八月五日

桃園燦坤旗艦店「無毒有我」特映會，六十八人參與。

＊二〇一一年八月七日

桃園燦坤內壢店「無毒有我」特映會，一百〇八人參與。

＊二〇一一年八月九日

燦坤台東店「無毒有我」特映會，一百一十人參與。

＊二〇一一年八月十九日

燦坤於羅東李科永圖書館舉辦「無毒有我」特映會，一百五十人參與。

＊二〇一一年八月廿七日

慈濟大學與泰國馬希竇大學的姐妹校交流活動，到關光勝地TATAYA分享無毒有我專題講座及特映會。近兩千位中小學校長參與，多位校長感動落淚，表示將好好投入教育宣導。

＊二〇一一年九月九日

燦坤苗栗縣頭份店「無毒有我」特映會，六十三人參與。

＊二〇一二年九月十七日

燦坤於新竹演藝廳舉辦「無毒有我」特映會，九十六人參與。